Foto's Photos Photographs Aufnahmen
Vincent Merckx

Teksten Textes Text Texte
Georges-Henri Dumont
de l'Académie royale de Langue et de Littérature françaises

A Portrait of

BRUGES

BRUGGE

BRUGES

BRÜGGE

VINCENT MERCKX
EDITIONS

Mooie, vanzelfsprekend lijkende volksetymologieën zijn haast onuitroeibaar. Waarom zou «Brugge» geen afleiding zijn van «brug»? Het lijkt allemaal zo natuurlijk. Maar als de naam Brugge voor het eerst opduikt in 875 is het een aanlegsteiger die vooral wordt aangedaan door Angelsaksen en Skandinaviërs, een haven, waarvan de naam blijkt afgeleid te zijn van «bryggia», d.w.z. landingshoofd.

Als de vloed kwam opzetten, overstroomde de Noordzee sedert mensenheugenis de hele streek rond het huidige Brugge. Slechts een paar hoger gelegen zanderige plekken durfden hun kale hoofd boven de golven uit te steken, onder andere de plaats waar een «burg» of burcht verrees.

Toen Boudewijn met de IJzeren Arm in 864 de eerste graaf van Brugge werd, bouwde hij de min of meer vervallen burcht uit tot een versterkte plaats en liet er de kostbare relikwieën van St-Donaas, die te Torhout werden bewaard, in veiligheid brengen. De vesting werd een schuilplaats, toen de Noormannen vooral de kloosters in de buurt bestormden en leegroofden.

Toentertijd werd er in Brugge al munt geslagen, hetgeen op handelstransacties wijst en het bestaan van een markt suggereert.

Toen de Noordzee zich in de 10de eeuw terugtrok, liet ze een brede zeearm met allerlei bochten en uitsnijdingen achter, het Zwin, waarin de Reie uitmondde. Reeds in de 11de eeuw vereerden heel wat buitenlanders Brugge met een bezoek. In 1037 was de boot van Emma, de zuster van Richard van Normandië, al bij de Burg voor anker gegaan. In het relaas over haar ballingschap staat te lezen : «De burcht staat bekend voor de talrijke kooplieden, die er hun opwachting maken, en voor de kostbare koopwaren die ze aanbieden.» Dit wordt overigens bevestigd door een brief van ene Gervais, bisschop van Reims, die gewaagt van overvloedige rijkdommen, braakland dat vruchtbaar is geworden, boomgaarden, weiden met grote kudden en zelfs een wijngaard die graaf Boudewijn V of Boudewijn van Rijsel er heeft laten aanleggen.

In de 11de eeuw werd er druk handel gedreven. De kooplieden vertrokken nog in hoogsteigen persoon naar het buitenland, vooral naar Londen en Duitsland, om er zaken te doen. In de 12de eeuw waren het al voornamelijk buitenlandse kooplui, o.a. Denen en Italianen, die te Brugge partijen Iepers laken opkochten en ze dan in Novgorod of via de foren van Champagne in landen rond de Middellandse Zee aan de man wisten te brengen. Had je toen enige tijd binnen de muren van een stad vertoefd, dan maakte de stadslucht je vrij, ook als je tevoren lijfeigene was geweest. Nochtans, zoals in de andere Vlaamse steden, hadden de patriciërs ook in Brugge het beleid in handen.

Daar Karel de Goede kinderloos was gestorven, benoemde Lodewijk VI, koning van Frankrijk en opperste leenheer van de overledene, Willem Clito, kleinzoon van Willem de Veroveraar en van Mathilde, dochter van de graaf van Vlaanderen Boudewijn VI, tot opvolger. Net zoals de andere Vlaamse steden keurde Brugge echter deze keuze pas goed nadat de nieuwe graaf en de te dien einde naar Brugge gekomen Lodewijk VI de steden in een keure privileges hadden toegestaan, o.a. het recht op zelfbeheer en eigen jurisdictie. Er stond heel wat op het spel. Dit verklaart misschien waarom W. Clito later bepaalde privileges die hij had toegestaan, ongeldig verklaarde, hetgeen een opstand tegen de meinedige graaf tot gevolg had.

Tussen de Dijver (op de voorgrond) *en de Steenhouwersdijk* (op de achtergrond) *verbreedt de Reie zich in de Rozenhoedkaai.*

Entre le Dijver (à l'avant-plan) *et le Steenhouwersdijk* (le quai aux Marbriers, à l'arrière-plan), *la Reie s'élargit pour former le bassin du Quai du Rosaire.*

Between the Dijver (foreground) *and the Steenhouwersdijk or Stone Cutters wharf* (background) *the Reie widens to form the basin of the Rosary wharf.*

Zwischen dem Dijver (vorne) *und dem Steenhouwersdijk (Deich der Steinmetze)* (hinten) *verbreitert sich die Reie zu einem Becken am Rozenhoedkaai (Rosenkranzkai).*

Lodewijk VI nam het op voor zijn beschermeling, maar tevergeefs, want die kwam op 27 juli 1128 bij de belegering van Aalst om het leven. De neef van Karel de Goede, Diederik van de Elzas, werd uitgeroepen tot graaf van Vlaanderen, nadat hij onder ede had beloofd de privileges van de steden te zullen eerbiedigen. Lodewijk VI was buiten spel gezet en gedwongen Diederik de leeneed te laten afleggen en hem met het graafschap te belenen. Daarna kwam er een periode van herstel en machtsontwikkeling. Zoals professor Wim Blokmans heeft opgemerkt, was de Vlaamse adel te zeer door de Kruistochten in beslag genomen om op binnenlands vlak een actieve rol te kunnen spelen, zodat de steden en hun magistraat het voor het zeggen hadden.

Diederik van de Elzas gaf gevolg aan de oproep van de heilige Bernardus en trok vier keer naar het Heilige Land. Tijdens een van die expedities bood de patriarch van Jeruzalem hem een ampulla aan met enkele druppels van het bloed van Christus, dat op de Calvarieberg door Nicodemus en Jozef van Arimathea zou zijn opgevangen. De graaf en kruisridder besloot de relikwie aan de stad Brugge ten geschenke te geven en gaf zijn huiskapelaan Leo van St-Bertin opdracht haar naar haar plaats van bestemming te brengen.

Bij zijn terugkeer naar Vlaanderen op 7 april 1150 viel graaf Diederik een geestdriftig onthaal ten deel. De vaandels van de Brugse ambachten wapperden, rijke wandtapijten hingen aan de gevels en een tapijt van bloemen bedekte de straten voor de patriciërshuizen.

Zeker vanaf de 13de eeuw herdenken de Bruggelingen deze gebeurtenis elk jaar tijdens de indrukwekkende H. Bloedprocessie in de maand mei. Als een lint van felle kleuren trekken groepen vrijwillige acteurs door de straten en vertolken de geschiedenis van de mensheid, die door het Bloed van Christus is vrijgekocht. De aankomst van de rijve van het Heilig Bloed, een schitterend edelsmeedwerk, dat de Bruggeling Jan Crabbe in 1614-1617 vervaardigde, vormt het hoogtepunt van de feestelijke stoet.

In de 12de eeuw was de Oude Burg nog het hart van Brugge. Omstreeks 1100 was een 86 hectare groot gebied door een omwalling omringd en konden de schepen nog slechts bij hoogtij tot in de stad geraken. Damme was reeds de voorhaven van Brugge. Het vervoer over land werd als maar makkelijker en was bijzonder druk tijdens de jaarlijkse foor. In de 13de eeuw hadden de Italianen en Duitsers al natiehuizen te Brugge en weldra volgden de Engelsen, de Schotten, de Spanjaarden, de Catalanen, de Basken, de Genuezen, de Florentijnen, de Milanezen, de kooplieden van Lucca...

De koningen van Frankrijk hoopten nog altijd het rijke en tot hun opperleenheerschap behorende Vlaanderen eenvoudigweg te kunnen aanhechten. Dankzij het verbond dat hij met de Engelsen had gesloten, lukte het Ferrand van Portugal, graaf van Vlaanderen, de Franse vloot voor Damme te verslaan. De Franse koning Filips II, bijgenaamd Augustus, wreekte deze nederlaag en versloeg in juli 1214 te Bouvines een leger bestaande uit Vlamingen, Brabanders, Engelsen en Duitsers. De eveneens aanwezige Ferrand van Portugal werd gevangengenomen en pas twaalf jaar later vrijgelaten. Graaf Gwijde van Dampierre onderging hetzelfde trieste lot in 1300. Hij had in 1300 ook een verbond met de Engelsen gesloten, dit keer tegen Filips de Schone. Deze zette hem te Compiègne gevangen en beval de aanhechting van Vlaanderen aan Frankrijk. De patriciërs of Leliaards (aanhangers van de Franse lelie) maakten gemene zaak met hem, zodat hij het land kon bezetten. Maar de talrijke ambachtslieden, die al sinds jaren het schrijnende machtsoverwicht van de patriciërs met lede ogen aanzagen, staken het hoofd op. Zowat overal in Vlaanderen kwam het tot rellen beraamd door een uiterlijk nogal spichtig mannetje, Pieter de Coninck. De nogal ongecontroleerde beweging kreeg pas echt de wind in de zeilen, toen het door alle steden aanvaarde grafelijke huis zich aan het hoofd van de opstandigen stelde en Willem van Gulik, Jan van Namen en diens broer Gwijde de leiding overnamen. Democratie en dynastie hadden elkaar gevonden.

Op 18 mei 1302 bij het ochtendgloren barstte het onweer los. Nog vooraleer de te Brugge gestationeerde Franse krijgslieden zich de slaap uit de ogen hadden gewreven, staken de Klauwaards (de naam verwijst naar de klauwen van de klimmende leeuw in het wapen van Vlaanderen) de bewakers neer, maakten zich meester van de stadspoorten en gingen zich in het schemerdonker te buiten aan moord en manslag. Terwijl de enen in bed werden omgebracht, kwamen anderen op de straathoeken om het leven. Vanuit Brugge breidden de sociale onlusten zich uit over het hele land, zelfs tot in het prinsbisdom Luik. In Vlaanderen zelf hadden ze een nationaal karakter.

Filips de Schone hoopte nog het tij te kunnen keren en stuurde een sterk leger van ridders met aangegespt harnas en gulden sporen aan hun schoeisel naar Groeninge. Daar, vlak bij Kortrijk, bracht een volksleger van boeren en ambachtslui, maar onder het bevel van enkele edelen die graaf Gwijde niet in de steek hadden gelaten, hen een verpletterende nederlaag toe. De Brugse Metten waren geen loze belofte geweest: het democratische beleid werd hersteld en het geslacht van Gwijde van Dampierre kwam weer aan de macht. De graaf eiste bovendien dat er voortaan vertegenwoordigers van de ambachten in het schepencollege en in de gemeenteraad van Brugge zouden zetelen.

Ondanks oorlog, hongersnood en pest — in 1316 stierven 2000 Bruggelingen, d.w.z. 5% van de bevolking aan de pest — waren de 13de en de 14de eeuw de schitterendste van de geschiedenis van Brugge. Zij werd de spil van de laken- en textielhandel in Europa, de draaischijf van de transitohandel in grondstoffen en afgewerkte produkten van de wereld van toen.

Ondertussen tooide Brugge die Scone zich met een heel parelsnoer prachtige gebouwen. Bij de Romaanse kerken gewijd aan St.-Donaas, St.-Salvator, St.-Basilius en bij het St.-Janshospitaal voegden de vroeg-gotische een glans toe die weldra al het overige zou overstralen: de O.-L.-Vrouwekerk, de St.-Jacobs en de St.-Gilliskerk, het Begijnhof. En de poorters hielden gelijke tred met de geestelijkheid: de Hallen, het Belfort en het stadhuis, waarvan de eerste steen door Lodewijk van Male werd gelegd, werden uit de grond gestampt. En dan hebben we het nog niet eens gehad over de trotse patriciërshuizen, de talrijke gildehuizen, de stenen bruggen die in de plaats kwamen van houten bruggetjes. De buitenlandse kooplieden deden eveneens hun duit in het zakje, zoals blijkt uit de natiehuizen waarop de tand des tijds geen macht schijnt te hebben.

Op het einde van de 14de eeuw begon op economisch en politiek vlak het, weliswaar nog glansrijk, herfstij van Brugge. De verzanding van het Zwin was niet meer te keren, de Vlaamse lakenweverij verrijkte Brugge niet meer en het meer vooruitstrevende Antwerpen werd hoe langer hoe welvarender. Nog volstonden het culturele prestige evenals de pracht en praal van de hertogen van Bourgondië om de tekenen van dit verval aan het oog te onttrekken, maar in 1338, toen de nieuwe stadsomwalling werd gebouwd, had Brugge al het eivormige stadsplan dat het zou behouden tot op het einde van de 19de eeuw.

Filips de Goede, Karel de Stoute en Maria van Bourgondië vertoefden graag in Brugge, waarschijnlijk omdat de politieke en sociale strubbelingen er minder talrijk en minder hevig waren dan in Gent. In 1429 trouwde Filips de Goede met Isabella van Portugal in het te dezer gelegenheid geheel en al vernieuwde Prinsenhof. Honderden schilders, beeldhouwers en vaklieden van alle slag waren aangeworven om de residentie om te toveren tot een paleis dat de woonsteden van de rijkste Franse prinsen zou evenaren. De vertrekken waren met wandtapijten bespannen en op prachtige wijze gestoffeerd. Men had zelfs niet vergeten voor de badlustigen een sierlijk badhuis op te richten met vertrekken waarin badkuipen stonden en andere waar stoombaden konden worden genomen. In 1478 zat de groothertog in hoogsteigen persoon het plechtige ordekapittel van de Orde van het Gulden Vlies voor, dat in de St.-Salvatorkerk te Brugge werd gehouden. Ter gelegenheid van het huwelijk van Karel de Stoute met Margaretha van York hadden eveneens schitterende feestelijkheden te Brugge plaats. Ook het groots opgezette Feest van de Gouden Boom is vermeldenswaard. De luister van de bouwkunst, waarin toen de laat-gotische stijl de scepter zwaaide, begon ook nog niet te tanen, al werden er haast geen nieuwe kerken gebouwd om de eenvoudige reden dat het aantal bestaande kerken volstond.

De door het geslacht der Adornes gebouwde Jeruzalemkerk is in dit opzicht een uitzondering. Wel werden enkele sacrale bouwwerken vergroot. De noemenswaardige vergrotingen zijn de kooromgang van de St.-Salvatorkerk, de vijfde beuk van de O.-L.-Vrouwekerk, het paradijsportaal, de afwerking

van de St.-Jacobs en van de St.-Gilliskerk, verscheidene nieuwe zalen in het St.-Janshospitaal. Tergelijkertijd werd het stadhuis voltooid en de achtkantige «lantaarn» aan het Belfort toegevoegd, werden de Poortersloge, het Tolhuis, de Genuese Loge, het huis van de hanzesteden, het Gruuthusepaleis, de hoven Adornes, Bladelin, van Watervliet gebouwd.

Het prestige van de hertogen van Bourgondië, de aanwezigheid te Brugge van Arnolfini, Tani, Portinari en andere Italiaanse zakenlieden, die niet alleen op financieel en commercieel vlak bedrijvig waren, maar ook kunstwerken verzamelden, de ijver waarmee de stadsmagistraat, het Brugse Vrije, gilden, kerkbesturen, patriciërs en kooplieden schilderijen bestelden, dit allemaal verklaart enigszins waarom de schilders van heinde en verre naar Brugge toestroomden. Hun gemeenschappelijke kenmerken waren hun ontzaglijk talent, het technische meesterschap in het omgaan met de olieverf en ook het feit dat de belangrijksten onder hen niet geboren en getogen waren in de stad waarin zij beroemd geworden zijn. Jan van Eyck was afkomstig uit de Maasstreek, Petrus Christus uit de Kempen, Hans Memling uit het Rijnland, Gerard David uit Nederland, Hugo van der Goes waarschijnlijk uit Gent. Samen met tientallen andere al dan niet te Brugge geboren schilders maakten ze van Brugge een kunststad met een enorme uitstraling.

Na het dodelijk ongeval van Maria van Bourgondië in 1482 meenden de Bruggelingen dat ze de onzekerheid der komende dingen in hun voordeel zouden kunnen wenden door in opstand te komen tegen de echtgenoot van Maria van Bourgondië, Maximiliaan van Oostenrijk. Ze gijzelden hem en sloten hem op in Craenenbrug. De schout Pieter Lanchals was de enige die een waarschuwende stem liet horen en de keizer trouw bleef. Hij werd door zijn woedende medeburgers onthoofd. Volgens de legende vergat Maximiliaan die trouwe onderdaan niet, toen hij weer op vrije voeten was gesteld. Al piekerend stelde hij vast dat «Lanchals» eigenlijk «lange hals» betekende. En voerde die Lanchals geen zwaan in zijn wapen? Daarom legde hij de Bruggelingen een boete op: tot het einde der tijden moeten ze witte zwanen op de Brugse wateren blijven onderhouden...

Een paar jaar later bereisde de Duitse geneesheer Jeroom Münzer de Lage Landen. Hij wilde Brugge uit de hoogte zien: «We gingen de 380 trappen van de hoogste toren op. Naar mijn schatting is de oppervlakte van de stad even groot als die van Milaan in Lombardije. De stadsaanleg is cirkelvormig. Brugge is omringd door stevige wallen, die de toegangspoorten beschermen en aldus afweervuur mogelijk maken, en bovendien door een brede, hoge aarden dam. Op deze dam staan minstens dertig à veertig windmolens, gespreid over de hele omtrek van deze kringvormige verdedigingsgordel. Aan de overkant daarvan zijn er nog liefst twee grachten vol water die het verdedigingssysteem nog efficiënter maken.»

Daarna mengde de geleerde inwoner van Neurenberg zich onder het volk, blijkbaar tot zijn groot genoegen, want hij schrijft: «De mensen zijn zeer vriendelijk in de omgang. De mannen zijn er netjes uitgedost en dragen lange gewaden zoals de geestelijken. De vrouwen zijn zeer mooi, klein van gestalte en slank. Ze gaan mooi gekleed, vaak in fel rood. Ze snakken evenveel naar zinnelijk genot als naar geestelijke troost. Inderdaad, in alle contreien van het noordwesten vallen de mensen van het ene uiterste in het andere: het is alles of niets. Dat is gemakkelijk te zien aan hun kledij en aan al hun andere leefgewoonten.»

Toen koningin Joanna van Navarra in gezelschap van haar echtgenoot Filips de Schone in 1301 naar Brugge kwam, stond ze verbaasd over de schoonheid der vrouwen en de pracht van hun kleren: «Wat heeft dat te betekenen?», riep ze naijverig uit, «Ik dacht dat ik alleen hier koningin was, maar ik zie er honderden.»

Jeroom Münzer vertelt verder: «Er is een plaats waar de kooplieden elkaar ontmoeten, namelijk de Beurs. Daar komen Spanjaarden, Italianen, Engelsen, Duitsers, Oosterlingen, kortom alle naties samen. Bepaalde straten zijn voorbehouden aan de Spanjaarden, in andere zie je alleen huizen van Florentijnen of Genuezen. De Oosterlingen hebben een mooi atrium en een prachtige woning met een fraai versierde toren. In de kelders onder het hele gebouw liggen hun goederen opgestapeld en worden ze te koop aangeboden.»

Op 18 april 1515 verwelkomde Margaretha van Oostenrijk

haar neef Karel V te Brugge ter gelegenheid van diens Blijde Inkomst in de stad. Te zijner ere waren overal triomfbogen in renaissancestijl opgericht. Karel V kwam later nog herhaaldelijk terug naar de stad waar zijn grootmoeder begraven ligt. In tegenstelling tot Antwerpen trok Brugge echter haast geen voordeel uit de economische groei in het begin van de 16de eeuw. Desalniettemin vierden de Bruggelingen op uitbundige wijze de overwinning die de keizer de 24ste februari 1525 te Pavia op Frans I van Frankrijk had behaald. Ter ere van het vorstenhuis schiep Lanceloot Blondeel toen de enorme schouw die in het Landhuis (nu: Provinciaal Museum) van het Brugse Vrije troont.

Ten tijde van Karel V, als het ware onder de triomfbogen van 1515, deed de renaissance haar intrede in Brugge. Ze vond er vlugger ingang dan in de andere steden van de Lage Landen.

Nadat ze haar stempel had gedrukt op het voorportaal van het Landhuis van het Brugse Vrije en op dat van de H.-Bloedkapel, vierde ze triomfen op de gevel van de Oude Griffie en in de portalen en uitkragingen van talrijke privéhuizen.

Wat de schilderkunst betreft zijn Gerard David en Adriaan Isenbrant enigszins overgangsfiguren. Ze werden opgevolgd door A. Benson, die trouwens uit Italië afkomstig was, door A. Cornelis, L. Blondeel, J. Provoost, Frans en Pieter Pourbus, het geslacht van de Claeissens en J. de Momper. Nochtans is de ontwikkeling van de renaissance-esthetiek te Brugge duidelijker aantoonbaar in de beeldhouwwerken, wandtapijten, glas-in-loodramen dan in de werken van de Brugse schilders.

In 1469 ten tijde van Karel de Stoute telde Brugge officieel 316 armen aan wie bijstand werd verleend. In 1544, minder dan een eeuw later, stonden er 7696 namen op de lijsten van de Tafels van de Heilige Geest van de zeven Brugse parochies. Al was dat aantal groot en al was de situatie zorgwekkend, er waren ten minste nog Tafels van de H. Geest om de behoeftigen hulp te bieden. Toen de politiek-godsdienstige opstand het hevigst woedde en Brugge van 1567 tot 1584 haast ononderbroken in de knel zat van fanatieke beeldstormers, was dat niet meer het geval. Hun repliek op de brandstapels van de Inquisitie waren niet minder afschuwelijke terechtstellingen en ze deinsden er niet voor terug religieuzen levend te verbranden. Bisschop Drieux werd aangehouden en in Gent gevangengezet. Het klooster van de augustijnen, de kerken St.-Jacob en St.-Gillis werden geplunderd, St.-Anna verwoest.

Nadat Alexander Farnese de Zuidelijke Nederlanden had heroverd, bracht de pacificatie van 1585 de geesten tot bedaren. De stadsmagistraat deed zijn best om de plaatselijke nijverheid nieuw leven in te blazen. Maar het mocht niet baten. Pas toen de aartshertogen Albrecht en Isabella (1598-1621) het roer in handen hadden, herleefde de hoop op voorspoediger tijden. De door calvinisten verwoeste kerken herrezen uit het puin en talloze altaarstukken, beeldhouwwerken, biecht- en preekstoelen in triomfantelijke barokstijl verspreidden er de denkbeelden van de Contrareformatie. De cisterciënsers van Ter Duinen bouwden het huidige Groot Seminarie, de ongeschoeide carmelieten hun kerk in de Ezelstraat, de jezuïeten, speerpunt van de Contrareformatie, de St.-Walburgakerk. In het klooster van de zusters in het St.-Janshospitaal werden eveneens twee nieuwe vleugels bijgebouwd. Ook heel wat patriciërshuizen uit de 18de eeuw en portalen — vooral van godshuizen — dragen de stempel van de barokstijl.

Het bewind van de aartshertogen was jammer genoeg slechts een adempauze. Zoals de Zuidelijke Nederlanden in hun geheel kreeg Brugge de weerslag te verwerken van de Spaanse nederlagen, van de Franse invasie en de bezetting door de troepen van Lodewijk XIV. Brugge probeerde zich te redden, het er levend van af te brengen, meer niet.

Op 1 juni 1706 verscheen de overwinnaar van de Zonnekoning, de Engelse hertog Marlborough voor de stadswal van Brugge. De inwoners lieten hem binnen, maar eisten de handelsvrijheid met Engeland. Er kwam een schijnbaar voordelig handelsverdrag tot stand, maar het Vlaamse kantwerk mocht Engeland niet binnen en van tolvrijheid was er geen sprake.

Pas onder het Oostenrijkse bewind, met name onder Maria Theresia en haar schoonbroer Karel van Lorreinen, kwam er een echte economische heropleving. Bij de Dampoort werd een handelsdok voor schepen met grote diepgang aangelegd en het wegennet dat Brugge met de andere grote steden van zijn land verbond, werd aanzienlijk verbeterd. De handel in wol en vlas bloeide weer op en er werden nieuwe textielondernemingen

gesticht. Na de oprichting van een glasblazerij volgde die van de plateelbakkerij van H. Pulinx. De Brugse kant muntte weer uit door de verfijning die de eeuwen geleden zijn roem had gevestigd. Twee andere tekenen van heropleving: in 1756, 1771 en 1778 werden nieuwe pakhuizen gebouwd en de stadsmagistraat moest forse maatregelen treffen om het nachtwerk tegen te gaan. Op bouwkundig vlak was dit tijdperk een overgangsperiode. Inderdaad, de rococostijl, die de tendensen van de barokkunst op speelse wijze had gevarieerd, handhaafde zich tot omstreeks 1750. Na deze datum deed het classicisme zijn invloed op min of meer zichtbare wijze gelden. Natuurlijk, het stadsbeeld van Brugge wordt voornamelijk door de gotische bouwwerken bepaald, maar de gotiek werd er door de eeuwen heen verrijkt door de veelvuldige aanwinsten die Brugge te danken heeft aan renaissance, barok, rococo en classicisme.

Voor zover de genrestukken van Jan Garemijn een getrouw beeld geven van de toenmalige werkelijkheid, waren de Bruggelingen in de tweede helft van de 18de eeuw geenszins verstoken van opgewekte levenslust en levensblijheid. «Het delven van de Gentse Vaart» zit vol volkse uitbundigheid en op andere genrestukken is het verfijnde salonleven naar het voorbeeld van onze zuiderburen uitgebeeld. Twee keer werd Brugge door de Franse revolutionairen bezet, eerst van 30 november 1792 tot 30 maart 1793, dan tijdens de veel langere periode van 25 juni 1794 tot de nederlaag van Napoleon te Leipzig. Net zoals de St.-Lambertuskathedraal te Luik werd de St.-Donaaskerk te Brugge met de begane grond gelijk gemaakt, terwijl de nieuwe godin Rede in de jezuïetenkerk werd aanbeden. Het praalgraf van Maria van Bourgondië werd geschonden, delen ervan werden verkocht, de beenderen van de vorstin rondgestrooid. De gilden werden opgeheven en veel gildehuizen gesloopt. De Markt werd omgedoopt tot Napoleonplein en de Rozenhoedkaai werd «gewijd» aan Voltaire.

Brugge werd de hoofdplaats met het departement van de Leie. Ten tijde van het Consulaat en het Keizerrijk werden de burgemeester van Brugge, zijn drie nauwste medewerkers en de Raad door Napoleon benoemd. Zo goed en zo kwaad als het ging zorgden ze ervoor dat de nijverheid overeind bleef. Het continentaal stelsel was in dit opzicht voordelig, maar belette jammer genoeg niet dat honderden Bruggelingen in het leger van Napoleon werden ingelijfd en kort daarna in de Russische laagvlakten om het leven kwamen.

Op het Congres van Wenen (1814-1815) besloten de grote mogendheden dat de Zuidelijke Nederlanden deel zouden uitmaken van het Koninkrijk der Nederlanden. Het departement van de Leie werd de provincie West-Vlaanderen, waarvan Brugge de hoofdplaats bleef. Na de Belgische Omwenteling van 1830 bleef deze situatie ook in het onafhankelijke België ongewijzigd.

De Hollanders hadden de industriële revolutie in het land op gang gebracht. Ofschoon deze revolutie in de loop van de 19de eeuw alsmaar verder om zich heen greep, bereikte ze het verpauperde Brugge met zijn ambachtslieden, zijn kantklosters en andere thuiswerkers haast niet. Wel werden er enkele gebouwen, o.a. natuurlijk huizen, opgetrokken, nu eens in neoklassieke, dan weer in de zowat overal in Europa opkomende neogotische stijl. De doornroosjesslaap van Brugge op economisch vlak had één voordeel: de bouwkundige wildgroei bleef Brugge bespaard. In 1887 onthulde koning Leopold II op de Markt van Brugge het standbeeld ter ere van Breydel en De Coninck, de twee Vlaamse volkshelden van 1302. In zijn toespraak wees hij erop hoe belangrijk het is dat het bouwkundig patrimonium in stand wordt gehouden: «Brugge doet er goed aan zijn bouwwerken te doen herleven, zijn eigen aard te bewaren, zijn vesten en stadspoorten niet te slopen, zijn stijlvolle huizen niet op te offeren voor de aanleg van een nieuw wegennet. Het verheugt ons dat er nu hierover eenstemmigheid bestaat, hetgeen vroeger niet altijd het geval was.»

De tweede koning der Belgen stelde ook alles in het werk om de zeehaven van Zeebrugge als het ware vlot te maken. Zodoende legde hij de grondslag voor een ontwikkeling die het spook van de economische inzinking de kop indrukte en van Brugge weer een welvarende stad maakte.

Maar Brugge-de-Levende heeft de glans weten te bewaren die de romantische bewonderaars van Brugge-de-Dode bekoorde.

Beaucoup de légendes ont la vie tenace. Ainsi en est-il de celle — assurément séduisante — qui rapproche le nom de Bruges du mot flamand *brug* (pont). En fait, le nom de Bruges est cité pour la première fois en 875, à une époque où le site comportait un débarcadère qu'avaient fréquenté les Anglo-Saxons et les Scandinaves. Le nom de Bruges dériverait donc du mot scandinave *Bryggia*, désignant un endroit d'accostage.

Depuis longtemps, la mer du Nord, en ses heures de flux, envahissait les terres au-delà de la ville actuelle. Seules émergeaient alors quelques parties hautes et sableuses, notamment celle sur laquelle se dressait un «burg».

Lorsque Baudouin Bras-de-Fer devint, en 864, le premier comte de Flandre, il reconstruisit le burg qui tombait en ruine et en fit une forteresse où il transféra, depuis Torbout, les précieuses reliques de saint Donatien. Cette forteresse contribua à protéger les Brugeois des incursions normandes qui ravageaient les monastères des environs. En ces années-là, le Burg avait son atelier monétaire, ce qui suggère la présence d'un marché.

Quand la mer du Nord se retira au cours du Xᵉ siècle, elle laissa un large estuaire fort échancré, le Zwin, qui recevait les eaux de la Reie. Au XIᵉ siècle déjà, le Burg attirait de nombreux hôtes étrangers, parmi lesquels Emma, sœur du duc Richard de Normandie, dont le navire accosta en 1037 non loin du Burg. «Ce château», rapporte une relation de son exil, «est célèbre tant par le nombre de marchands qu'on y trouve que par l'affluence des choses les plus luxueuses». Ce que confirme une lettre de Gervais, évêque de Reims, qui décrit l'abondance des richesses, la fécondité du sol auparavant inculte, les nombreux vergers, les prairies couvertes de troupeaux et même les vignobles introduits par le comte Baudouin V, dit de Lille.

Aux XIᵉ et XIIᵉ siècles, le commerce brugeois était encore un commerce actif: les marchands se rendaient eux-mêmes à l'étranger — principalement à Londres et en Allemagne — pour y vendre et acheter. Mais, dès le début du XIIᵉ siècle, des marchands étrangers, notamment danois et italiens, venaient charger à Bruges les draps d'Ypres qu'ils acheminaient jusqu'à Novgorod et, via les foires de Champagne, dans le monde méditerranéen. A cette époque, quiconque habitait depuis un certain temps la ville, fût-il un ancien serf, bénéficiait du statut d'homme libre. Comme dans les autres villes flamandes, les patriciens dirigeaient leurs concitoyens.

Le comte de Flandre Charles le Bon étant mort sans enfant, le roi de France Louis VI en tant que suzerain d'un fief tenu de la Couronne désigna comme successeur Guillaume Cliton, petit-fils de Guillaume le Conquérant et de Mathilde, la fille du comte Baudouin VI de Flandre. Mais, à l'instar des autres villes flamandes, Bruges ne consentit à ratifier ce choix qu'après

l'acceptation par le nouveau comte et par le roi Louis VI, venu à Bruges pour la circonstance, d'une charte conférant aux villes un statut privilégié comportant des institutions administratives et judiciaires propres. L'événement était de taille, mais Guillaume Cliton ne tarda pas à révoquer certains privilèges qu'il avait accordés. Ce fut la révolte contre le comte parjure.

Louis VI tenta vainement de soutenir son protégé. Celui-ci mourut le 27 juillet 1128, tué au siège d'Alost. Thierry d'Alsace, cousin de Charles le Bon, fut proclamé comte de Flandre après avoir prêté le serment de respecter les privilèges urbains. Louis VI, hors du coup, ne put que recevoir son hommage et sa foi, et lui donner l'investiture du comté. Une période de consolidation et d'expansion s'ouvrait. Comme l'a observé le professeur Wim Blockmans, «la grande noblesse flamande n'y joua aucun rôle, préoccupée qu'elle était par les Croisades. La parole était maintenant aux villes et aux fonctionnaires.» Thierry d'Alsace lui-même répondit à l'appel de saint Bernard et se rendit quatre fois en Palestine. Au cours d'une de ses expéditions, le patriarche de Jérusalem lui offrit une ampoule contenant quelques gouttes du sang du Christ, recueillies sur le calvaire par Nicodème et saint Joseph d'Arimathie. Le comte-croisé résolut d'en faire don à la ville de Bruges et chargea son chapelain, l'abbé Léon de Saint-Bertin, de l'y mener.

Réception enthousiaste que celle réservée, le 7 avril 1150, au comte Thierry à son retour en Flandre. Toutes les bannières des métiers brugeois étaient déployées, les riches tentures claquaient au vent, un tapis de fleurs couvrait le sol devant les demeures patriciennes. Depuis le XIIIᵉ siècle au moins, les Brugeois commémorent cet événement par la spectaculaire procession de mai. En un long ruban de couleurs vives, des groupes d'acteurs bénévoles racontent à la foule l'histoire du genre humain et son rachat par le sang du Christ. L'apothéose en est l'arrivée de la châsse du Saint-Sang, fastueuse pièce d'orfèvrerie exécutée de 1614 à 1617 par le Brugeois Jean Crabbe.

Le noyau de Bruges se situait encore au Oude Burg. Depuis 1100 environ, un mur d'enceinte entourait un espace de 86 hectares que les bateaux n'atteignaient plus qu'à marée haute. Tandis que l'avant-port était fixé à Damme, le commerce terrestre s'organisa, en particulier autour des activités de la foire. Au XIIIᵉ siècle, des comptoirs allemands s'établirent dans la ville promptement suivis par ceux des Anglais, des Ecossais, des Espagnols, des Catalans, des Basques, des Génois, des Florentins, des Milanais, des Lucquois...

Les rois de France ne désespéraient pas d'annexer purement et simplement la riche Flandre qui relevait de leur suzeraineté. Grâce à l'alliance avec les Anglais, le comte Ferrand de Portugal infligea une cuisante défaite à la flotte d'invasion française devant Damme. Mais le roi Philippe-Auguste vengea cet échec en écrasant à Bouvines, en juillet 1214, les armées coalisées des Flamands, Brabançons, Anglais et Allemands. Fait prisonnier sur le champ de bataille, Ferrand de Portugal ne fut libéré qu'après douze années de captivité.

Le comte Gui de Dampierre connut le même sort en 1300 parce que lui aussi s'était allié aux Anglais, cette fois contre Philippe le Bel. Celui-ci enferma son vassal à Compiègne et décréta l'annexion du comté de Flandre au domaine royal. Le pays fut occupé avec la complicité des patriciens (les *Leliaards*, par allusion au lys de France). Mais la masse des artisans, depuis longtemps impatients de renverser le pouvoir exclusif des riches marchands, releva la tête. Des troubles éclatèrent partout en Flandre, provoqués par un petit tribun d'apparence chétive: Pierre de Coninck. Ils demeurèrent assez désordonnés jusqu'au moment où la maison comtale fournit un chef qui s'imposa également à toutes les villes: Guillaume de Juliers. Jean de Namur ainsi que son frère Gui se joignirent à leur tour au mouvement de rébellion. Démocratie et dynastie poursuivaient le même objectif.

L'orage se déchaîna à l'aube du 18 mai 1302. Alors que les hommes d'armes du roi de France dormaient encore dans la ville de Bruges, les *Klauwaards* (allusion aux griffes du lion héraldique de Flandre) tuèrent les sentinelles, s'emparèrent des portes et se livrèrent, dans la pénombre, à un massacre épouvantable. On égorgea les uns dans leur lit, on traqua les autres dans les ruelles étroites. Parti de Bruges, le mouvement social gagna l'ensemble des Pays-Bas et même la principauté de

Heel wat tijdgenoten of leerlingen van Hans Memling werden geïdentificeerd op basis van één schilderij dat aan hen is toegeschreven. Dit is o.a. het geval voor de Meester van de Lucia-legende. Op de achtergrond van het paneel met St.-Niklaas heeft hij een zeer getrouw stadszicht van Brugge met torens en al geschilderd. (Groeningemuseum)

Concurrents ou disciples de Hans Memling, certains peintres brugeois ont été identifiés à partir d'une œuvre qui leur est attribuée. Ainsi en est-il du Maître de la Légende de sainte Lucie dont on retiendra la description de Bruges et de ses tours qu'il fit à l'arrière-plan de son panneau «Saint Nicolas». (Musée Groeninge)

Some unidentified Bruges painters, either competitors or followers of Hans Memling, are named after a work attributed to them. Such is the case of the Master of the Legend of St. Lucy. Shown here is his depiction of Bruges and its towers which form the background to his "St. Nicolas" panel. (Groeninge Museum)

Mehrere Zeitgenossen oder Schüler H. Memlings konnten nur anhand eines ihnen zugeschriebenen Werkes ermittelt werden, z.B. der Meister der Luzialegende, der auf dem Hintergrund des Gemäldes mit dem thronenden St. Nikolaus die Stadt Brügge und ihre Türme sehr genau abgebildet hat. (Groeningemuseum)

Liège. Mais en Flandre il avait, en même temps, un caractère national.

Philippe le Bel crut pouvoir rétablir la situation à son avantage en envoyant contre les rebelles une forte armée de chevaliers aux armures étincelantes et aux éperons d'or. Elle se fit battre à Groeninge, devant Courtrai, le 11 juillet, par une masse d'ouvriers et de paysans bien commandée par une poignée de seigneurs demeurés fidèles au comte Gui. C'était le couronnement des «matines brugeoises» : le gouvernement démocratique fut rétabli et le pouvoir restitué à la dynastie naturelle des Dampierre. Le comte exigea que les métiers fussent désormais représentés dans le collège des échevins et le conseil de la commune de Bruges.

En dépit des guerres, de la famine et de la peste de 1346 — le magistrat dut enlever quelque 2.000 cadavres, soit cinq pour cent de la population — les XIIIe et XIVe siècles correspondent à l'apogée de Bruges. Elle devint la plaque tournante européenne du commerce de la laine et du textile, comme aussi le lieu de transit des matières premières et marchandises du monde alors connu, depuis les métaux d'Allemagne et de Grande-Bretagne jusqu'aux fourrures de Russie, depuis les étoffes orientales et les épices de l'empire byzantin jusqu'aux produits tropicaux d'Afrique du Nord.

Dans le même temps, la ville se couvrit de sa parure architecturale. Aux structures romanes de Saint-Donatien, Saint-Sauveur, Saint-Basile et de l'hôpital Saint-Jean s'ajoutèrent les premiers apports du gothique qui ne tarda pas à être dominant dans la ville: Notre-Dame, Sainte-Walburge, Saint-Jacques, Saint-Gilles, le béguinage. Les bourgeois rivalisèrent avec les ecclésiastiques; ils édifièrent les halles, le beffroi et l'hôtel de ville dont la première pierre fut posée par Louis de Male. Sans compter les robustes demeures patriciennes, les locaux des corporations, les ponts en pierre qui remplacèrent les ponts en bois. Bien sûr, les riches marchands étrangers ne demeurèrent pas en reste, comme en témoignent encore quelques-unes de leurs maisons de «nation».

A la fin du XIVe siècle, le rayonnement économique et politique de Bruges amorça son déclin. Non seulement à cause de l'irréversible ensablement du Zwin, mais aussi parce que la décadence de l'industrie textile flamande appauvrissait le marché brugeois et parce qu'Anvers, moins protectionniste, entrait dans sa phase de prospérité grandissante. Toutefois, ce déclin ne tarda pas à être largement masqué par le prestige culturel et le faste que les ducs de Bourgogne donnèrent à la ville qui, depuis la construction de la nouvelle enceinte en 1338, avait pris la forme ovale qu'elle conservera jusqu'au XIXe siècle.

Philippe le Bon, Charles le Téméraire et Marie de Bourgogne séjournaient volontiers à Bruges, sans doute parce que les affrontements politiques et sociaux y étaient moins fréquents et moins tumultueux qu'à Gand. C'est à Bruges qu'en 1429, Philippe le Bon épousa Isabelle de Portugal, au Prinsenhof qu'il fit transformer de fond en comble. Plusieurs centaines de peintres, sculpteurs et gens de métier furent recrutés pour rendre cette demeure digne de rivaliser avec les palais des princes les plus riches de France. Les appartements furent luxueusement meublés et ornés de tapisseries. Un élégant édifice fut même construit pour abriter les «baigneries» par immersion et par étuves.

En 1478, le Grand Duc d'Occident présida le chapitre de l'Ordre de la Toison d'or qui se tint en l'église Saint-Sauveur. C'est à Bruges également qu'eurent lieu les éblouissantes festivités du mariage de Charles le Téméraire avec Marguerite d'York et le déploiement de faste de la fête de l'Arbre d'Or.

A la faveur du lustre persistant de la cité, l'activité architecturale en style gothique tardif se maintint. Moins dans la construction d'églises — les besoins des paroisses étaient généralement couverts — que dans celle de bâtiments civils. Il importe cependant de signaler, outre la construction de l'église de Jérusalem, fondée par la famille Adornes, maints agrandissements et ajouts: la chapelle rayonnante de Saint-Sauveur, la cinquième nef de Notre-Dame et le portail du Paradis, l'achèvement de Saint-Jacques et de Saint-Gilles, l'église et plusieurs salles de l'hôpital Saint-Jean, etc.

Pendant ce temps-là, on termina la construction de l'hôtel de ville, on suréleva la partie carrée du beffroi d'un étage octogonal, on édifia notamment la *Poortersloge* et la *Tolhuis*, la maison du consul de Gênes et celle de la Hanse teutonique, le palais Gruuthuse, les hôtels Adornes, Bladelin, de Watervliet.

Le prestige européen des ducs de Bourgogne, la présence à Bruges des Arnolfini, Tani, Portinari et autres hommes d'affaires italiens qui joignaient à leurs activités commerciales et financières la recherche d'œuvres d'art, l'habitude des magistrats de la ville et du Franc, des guildes et des fabriques d'église, des patriciens et des marchands de commander des œuvres peintes, autant de raisons qui expliquent l'arrivée de nombreux peintres dans la Bruges du XVe siècle. Ils avaient en commun un immense talent, la maîtrise de la technique de la peinture à l'huile et, pour les plus grands, le fait de n'être pas natifs de la ville où ils s'illustrèrent. C'était le cas de Jean van Eyck le Mosan, Petrus Christus le Campinois, Hans Memling le Rhénan, Gérard David le Hollandais, Hugo van der Goes le Gantois. En même temps que des dizaines d'autres peintres brugeois ou venus de l'extérieur, ils firent de Bruges un centre de création artistique exceptionnellement rayonnant.

Après la mort accidentelle de la duchesse Marie de Bourgogne en 1482, les Brugeois, croyant pouvoir exploiter les incertitudes du moment, se révoltèrent contre son mari Maximilien d'Autriche. Ils le prirent comme otage et l'enfermèrent en la maison Cranenburg. Il se trouva une voix raisonnable pour les désapprouver: Pierre Lanchals, écoutète de la ville. Les Brugeois, furieux, le mirent à mort. Selon la légende, Maximilien, lorsqu'il retrouva la liberté, se souvint de ce citoyen loyal. Il constata que son nom, en flamand, signifiait «long cou» et qu'un cygne figurait dans son blason. Aussi exigea-t-il de la ville de Bruges qu'en expiation, elle entretînt perpétuellement des cygnes sur ses canaux.

Quelques années plus tard, voyageant dans les Pays-Bas en 1495, le médecin allemand Jérôme Münzer voulut voir Bruges de haut : «Nous avons gravi les 380 degrés de la tour la plus haute et j'ai pu estimer que le pourtour de la cité est égal à celui de Milan en Lombardie. La ville est construite suivant un plan circulaire, avec un rempart très puissant qui l'entoure en doublant les portes de façon à permettre un tir de défense, et, en plus de cela, un grand remblai. Au-dessus de ce remblai et sur toute l'étendue de l'enceinte circulaire, on voit au moins trente à quarante moulins à vent. Par-delà ce large remblai, se trouvent deux fossés pleins d'eau, ils sont larges et profonds et constituent une bonne fortification pour la ville.»

Après quoi, l'érudit bourgeois de Nuremberg descendit de la tour et se mêla à la foule. Pour son plus grand plaisir, semble-t-il. «Les gens, observa-t-il, sont très aimables et très sociables. Les hommes portent de beaux atours; leurs vêtements sont longs comme ceux que portent les ecclésiastiques. Les femmes, elles, sont très belles, menues de corps, elles s'habillent bien, souvent en rouge très vif. Elles sont très portées à l'amour et tout autant à la religion. Car, dans toutes ces régions du nord-ouest, on va aux extrêmes: ou tout ou rien. Cette constatation est facile à faire pour tout ce qui est de l'habillement et de quelque autre coutume que ce soit.»

Venue à Bruges en l'an 1301, en compagnie de son mari Philippe le Bel, la reine Jeanne de Navarre s'était également étonnée de la beauté et de l'élégance des femmes. «Qu'est-ce ceci?» s'était-elle écriée avec dépit. «Je pensais être seule reine et j'en trouve ici par cents.»

«Il est une place, continue Jérôme Münzer, où se réunissent les marchands; on l'appelle la Bourse. C'est là que se réunissent Espagnols, Italiens, Anglais, Allemands, Levantins, bref toutes les nations. Là certaines rues sont réservées aux Espagnols, d'autres aux maisons des Florentins, aux Génois. Les Levantins ont un fort bel atrium et une magnifique demeure où se dresse une haute tour joliment ornée. Et aux alentours, sous terre, sont les caves où ils vendent leurs marchandises...»

Le 18 avril 1515, Charles Quint, accueilli par sa tante Marguerite d'Autriche, fit sa Joyeuse Entrée dans les rues de Bruges sous des arcs de triomphe de style Renaissance. Il revint souvent dans la ville où était inhumée sa grand-mère Marie de Bourgogne. A l'opposé des Anversois, les Brugeois ne bénéficièrent pas de l'expansion économique du début du XVIe siècle. Ils n'en fêtèrent pas moins chaleureusement la victoire de l'empereur sur François Ier à Pavie en 1525, et le palais du Franc de Bruges fut doté d'une monumentale cheminée, conçue par Lancelot Blondeel à la gloire de la dynastie.

Sous Charles Quint, la Renaissance, en quelque sorte introduite par les arcs de triomphe de 1515, s'imposa plus rapidement à Bruges que dans les autres villes des Pays-Bas. Le nouveau portail de l'ancien palais du Franc et le portail de la chapelle du Saint-Sang portent déjà l'empreinte du style nouveau. Celui-ci domina ensuite dans la façade du Greffe civil ainsi que dans les portails et encorbellements de nombreux hôtels particuliers.

En peinture, Gérard David et Adriaan Isembrant avaient assuré la transition, Ambroise Benson — d'ailleurs originaire d'ltalie — prit le relais, suivi d'Albert Cornelis, Lancelot Blondeel, Jean Provoost, Frans et Pieter Pourbus, la famille Claeissens et Jan de Momper. Mais c'est dans l'art de la sculpture, de la tapisserie, du vitrail et du mobilier que l'on perçoit le mieux la progression de l'esthétique de la Renaissance à Bruges.

En 1469, sous le règne de Charles le Téméraire, le nombre de pauvres secourus par la commune ne dépassait pas le chiffre de 316. Moins d'un siècle plus tard, 7.696 personnes se trouvaient inscrites, en 1544, aux Tables du Saint-Esprit des sept paroisses de la ville. C'était considérable, voire angoissant, mais au moins y avait-il encore des Tables du Saint-Esprit pour aider les plus démunis. Ce ne fut plus le cas lorsqu'au plus fort de la révolution politico-religieuse contre Philippe II, le fanatisme des calvinistes se déchaîna sur Bruges de façon quasi continue, de 1567 à 1584. Plusieurs religieux furent brûlés vifs, réponse atroce aux bûchers non moins atroces de l'Inquisition. L'évêque Drieux fut arrêté et emprisonné à Gand. Le couvent des Augustins, les églises Saint-Jacques et Saint-Gilles furent livrées au pillage, tandis que l'église Sainte-Anne était ravagée.

Après la reconquête des provinces méridionales par Alexandre Farnèse, la pacification de 1584 calma les esprits. Le magistrat de la ville multiplia les efforts pour encourager la reprise des industries locales; il réorganisa même la bourse dans les Halles. Mais le marasme persistait. Il fallut attendre le règne apaisant des archiducs Albert et Isabelle (1598-1621) pour voir renaître l'espoir d'un nouveau bien-être. Le réveil catholique suscita la reconstruction des églises dévastées par les calvinistes mais aussi la restauration des intérieurs dans le style triomphal du baroque: maîtres-autels, sculptures, confessionnaux, etc. Les Cisterciens de l'abbaye des Dunes furent à l'origine des bâtiments de l'actuel séminaire diocésain et les Carmes déchaussés édifièrent leur église dans l'Ezelstraat. Quant aux jésuites, grands artisans de la Contre-Réforme, ils construisirent leur église, aujourd'hui dédiée à Sainte-Walburge. Deux ailes furent adjointes au couvent des sœurs de l'Hospice Saint-Jean. Par surcroît, le style baroque influença — notamment dans les portails — une trentaine de maisons-Dieu et quelques demeures patriciennes du XVIIᵉ siècle.

Les années Albert et Isabelle ne furent malheureusement qu'une parenthèse. Comme le reste des Pays-Bas, Bruges subit les remous de la débâcle espagnole puis l'invasion et l'occupation par les troupes de Louis XIV. Elle luttait pour la survie. Sans plus.

Le 1ᵉʳ juin 1706, le duc de Marlborough, vainqueur des armées de Louis XIV, se présenta devant les portes de la ville. Les Brugeois les ouvrirent à la condition d'obtenir la libération du commerce avec l'Angleterre. Un traité apparemment généreux leur fut accordé mais il prohibait l'entrée des dentelles flamandes et imposait plusieurs droits de douane.

La véritable reprise économique ne se précisa que sous le régime autrichien, plus particulièrement sous le règne de Marie-Thérèse et le gouvernement général de son beau-frère Charles de Lorraine. Tandis qu'un bassin de commerce pour navires de haute mer était créé près de la porte de Damme, le développement du réseau routier relia Bruges aux principales villes du pays. Le marché aux laines et aux fils rétabli, de nouvelles industries textiles ne tardèrent pas à prospérer. Une verrerie fut fondée, puis la faïencerie de Hendrik Pulinx. Renouant avec le passé, la dentelle brugeoise se distinguait à nouveau par son raffinement. Deux signes révélateurs d'une activité retrouvée : de nouveaux entrepôts furent construits en 1756, 1771 et 1778 et le magistrat de la ville prit des mesures sévères contre le travail de nuit.

Le style de nouveaux édifices est à l'image du temps, hésitant entre plusieurs esthétiques. Le baroque relayé par le rococo se maintint jusqu'au milieu du XVIIIᵉ siècle, l'esprit classique se manifesta ensuite. De la sorte se précisait le visage de Bruges, assurément dominé par le gothique mais enrichi par les apports successifs de la Renaissance, du baroque, du rococo et du style classique.

A en juger par les tableaux de genre de Jan Garemijn, la vie brugeoise ne manquait pas d'agrément au cours de la seconde moitié du XVIIIᵉ siècle. Truculente vie populaire, évoquée à l'occasion du creusement du canal de Gand ou vie raffinée de salon, influencée par la mode française.

Bruges fut occupée à deux reprises par les révolutionnaires français. D'abord, assez brièvement, du 30 novembre 1792 au 30 mars 1793, ensuite, beaucoup plus longuement, à partir du 25 juin 1794 jusqu'à la défaite de Napoléon à Leipzig. Subissant le même sort que la cathédrale Saint-Lambert à Liège, l'église Saint-Donatien fut entièrement démolie. L'église des jésuites fut affectée au culte de la déesse Raison. Le sarcophage de Marie de Bourgogne, en l'église Notre-Dame, fut fracassé, puis débité, et les ossements de la duchesse furent éparpillés. Les corporations furent supprimées et beaucoup de leurs maisons détruites. La Grand-Place s'appela désormais place Napoléon et le quai du Rosaire fut dédié à Voltaire.

Bruges devint le chef-lieu du département de la Lys. Sous le Consulat et l'Empire, le maire de la ville, trois adjoints et le Conseil étaient nommés par Napoléon. Ils firent ce qu'ils purent pour maintenir une certaine activité industrielle, un moment favorisée par le blocus continental, mais ils ne purent empêcher la conscription et l'enrôlement de jeunes Brugeois dans les armées, qui se firent massacrer dans les plaines de Russie.

Le Congrès de Vienne 1814-1815 attribua nos provinces au Royaume-Uni des Pays-Bas. Le département de la Lys devint la province de Flandre Occidentale dont Bruges restait le chef-lieu. L'indépendance belge acquise en 1830 ne modifia pas cette situation.

La révolution industrielle, amorcée sous le régime hollandais, se poursuivit au cours du XIXᵉ siècle mais elle n'atteignit guère la ville de Bruges, appauvrie, essentiellement vouée à l'artisanat et à la fabrication domestique de dentelles. On construisit cependant quelques édifices et maisons, tantôt dans le style néo-classique, tantôt en suivant la mode européenne du néo-gothique. La somnolence économique de Bruges lui épargna les méfaits d'une urbanisation sauvage. En 1887, Léopold II se rendit à Bruges pour inaugurer le monument élevé sur la Grand-Place à la gloire de Breydel et de Coninck, les deux héros flamands de 1302.

Le souverain revint en 1905. Comme il l'avait fait en 1887 déjà, il plaida la cause de la sauvegarde du patrimoine architectural: «La ville de Bruges a raison de restaurer ses monuments, de garder soigneusement son cachet, de ne pas combler les fossés qui l'entourent, de maintenir ses vieilles portes et, par des modifications de voirie, de ne pas faire disparaître des demeures intéressantes. Je me réjouis de ce que l'on paraisse maintenant, ce qui n'a pas toujours été le cas, généralement d'accord sur ces points.» Mais le second roi des Belges avait aussi œuvré pour l'aménagement portuaire de Zeebrugge, jetant ainsi les bases d'un développement qui sortit enfin Bruges du marasme économique et la propulsa vers une réelle prospérité.

Mais Bruges-la-Vivante n'a rien perdu de la splendeur qui séduisait les admirateurs romantiques de Bruges-la-Morte.

Old legends have long lives, such as the quite plausible one tracing the name of Bruges to the Flemish word *brug*, or bridge. In actual fact, the first mention of Bruges appears in 875 at the period when a landing stage on the site was used by the Anglo-Saxons and Scandinavians. The name Bruges thus comes from the Scandinavian word Bryggia meaning a mooring place.

At that time the high tides of the North Sea flooded the land beyond the present city, only a bit of high, sandy ground remaining uncovered, including an area on which there stood a fort, or "Burg".

When Baudouin Bras-de-Fer became the first Count of Flanders in 864, he rebuilt the fort which was falling to pieces, making a real fortress where he kept the precious relics of St. Donatian, brought from Torhout. This fortress helped protect the people of Bruges from the Norsemen who ravaged the neighbouring monasteries. At that time Bruges coined its own money which suggests the presence of a market and of commercial transactions.

When the North Sea withdrew during the 10th century, it left behind a large, indented estuary, the Zwin, into which the Reie flowed. As early as the 11th century, the Burg attracted many foreign visitors. The ship of Emma, sister of Duke Richard of Normandy, moored close to the Burg in 1037. "This castle", states an account of her exile, "is famed for being most luxurious." This is confirmed in a letter by Gervais, Bishop of Rheims who described the abundant wealth, the fertility of the formerly uncultivated soil, the many orchards, the meadows full of flocks and even the vineyards introduced by Baudouin V of Lille.

In the 11th and 12th centuries, Bruges had a flourishing commerce. Its merchants travelled to foreign parts, mainly London and Germany, to buy and sell. From the early 12th century foreign traders, especially the Danes and Italians, came to Bruges for loads of Ypres cloth that they traded as far as Novgorod and, by means of the fairs of Champagne, in the Mediterranean basin. At this time, anyone residing in the city for a certain length of time, even though formerly a serf, gained the status of a free man. As in other Flemish towns, the patricians ruled the other citizens.

Since Count Charles the Good of Flanders was childless, King Louis VI of France, as the suzerain of the Crown fief, named as his successor Guillaume Cliton, grandson of William the Conqueror and of Matilda, daughter of Count Baudouin VI. Following the example of other Flemish towns, Bruges agreed to ratify this choice only after the new Count and King Louis, who came to Bruges for the event, accepted a charter giving the towns the right to organize their own administration and to administer justice. This was a most important measure, and Guillaume Cliton was not long in revoking some of the privileges, which led to a rebellion against the faithless Count.

Louis VI tried vainly to support his protégé who was killed at the siege of Aalst on July 27,1128. Thierry of Alsace, a cousin of Charles the Good, was proclaimed Count of Flanders after having sworn to respect the town's rights. All Louis VI could do was receive his homage and his oath of fealty and invest him as Count.

A period of consolidation and expansion ensued. As Professor Wim Blockmans has commented "The Flemish high nobility played no part in this, preoccupied as they were with the Crusades. It was now the hour of the towns and their officials." Thierry of Alsace himself answered the call of St. Bernard and went four times to Palestine. During one of these expeditions the Patriarch of Jerusalem gave him a vial containing a few drops of the blood of Christ, gleaned at Calvary by Nicodemus and Joseph of Arimathea. The Crusader-Count decided to present it to the city of Bruges and sent it back with his chaplain, Abbé Leon of St. Bertin.

When Count Thierry returned to Flanders on April 7, 1150 he was welcomed enthusiastically. All the banners of the guilds of Bruges were flying, rich hangings fluttered in the breeze and a floral carpet covered the ground before the patrician houses. Since the 13th century Bruges has continued to commemorate this event by a spectacular procession every May. A long procession of brightly garbed volunteer actors recount the history of mankind and its redemption by the blood of Christ to the crowd. The high point is the arrival of the splendid reliquary of the Holy Blood made between 1614 and 1617 by the gold and silversmith Jan Crabbe of Bruges.

The heart of Bruges was still situated on the Oude Burg. Since around 1100, walls had enclosed an 86 hectare area no longer reached by boats except at high tide. Though an outer port was established at Damme, land borne commerce was organised around the city fair. In the 13th century Italian and German trading houses opened branches in the city, followed by the English, Scots, Spanish, Catalans, Basques, Genoese, Florentines Milanese, Luccans...

The Kings of France had not renounced their ambition to purely and simply annex rich Flanders which was under their suzerainity. Allied with the English, Count Ferrand of Portugal overwhelmingly defeated a French invasion fleet before Damme. But King Philip-Augustus took revenge by crushing the allied armies of Flemish, Brabanters, English and Germans at Bouvines in July, 1214. Ferrand of Portugal, captured on the field of battle, was liberated only after twelve years of captivity.

Count Guy of Dampierre, allied with the English, this time against Philip the Fair, met the same fate in 1300. Philip imprisoned his vassal at Compiègne and declared the annexation of the County of Flanders to the royal domain. The country was occupied, with the complicity of the patricians, called the *Leliaards* by allusion to the lily of France. The mass of craftsmen who had long wanted to break the exclusive powers of the rich merchants, did not accept this, however. Disturbances broke out all over Flanders, provoked by Pieter de Coninck, an unprepossessing little tribune. The turmoil was not organised until the Countly dynasty presented a candidate acceptable to all the towns, Guillaume of Julich. Jean de Namur and his brother Gui also joined the rebellion. Democracy and dynasty pursued the same objective.

The storm broke at dawn on May 18, 1301. While the men of the King of France still slept in the city of Bruges, the *Klauwaards*, by allusion to the claws of the heraldic lion of Flanders, killed the sentries, seized the gates and, in the gloom, began a bloody massacre. Some had their throats cut in their beds, others were slaughtered in the streets. The social revolt which started in Bruges swept through all of the Low Countries and even the Principality of Liège. In Flanders, however, it had a strongly nationalistic character.

Philip the Fair thought he could recoup the situation by sending a strong army of armoured knights, flaunting golden spurs, to crush the rebels. His army was defeated at Groeninge near Courtrai on July 8th by a mob of workers and peasants led by a handful of lords who had remained loyal to Count Gui. This was the culmination of the Matins of Bruges: democratic government was re-established and power returned to the native dynasty of Dampierre. The Count demanded that henceforth the craftsmen be represented on the Aldermens council and the communal council of Bruges.

Despite war, famine and the Black Death of 1316, during which the authorities had to dispose of some two thousand cadavers, or five percent of the population, the 13th and 14th centuries were, for Bruges, its most prosperous. The city became the European hub of the wool and textile trade and also the transit point for raw materials and merchandise from all of the known world.

The city acquired its splendid architecture at this time. To the Romanesque structures of St. Donatian, St. Saviour, St. Basil and St. John's Hospital were added the first elements of the Gothic soon to dominate the city, such as Our Lady's church, St. Walburga, St. James, St. Giles and the Béguinage. The burghers rivaled the clergy by building the Cloth Hall, the belfry and the Town Hall, the first stone being laid by Louis of Male. Sturdy patrician houses were also erected, as were guild halls and stone bridges replaced the wooden ones. The rich foreign merchants were not to be outshone, as can be seen from some of the remaining "national" houses.

At the end of the 14th century, the economic and political predominance of Bruges began to wane, not only because of the silting up of the Zwin, but also because of the decay of the Flemish textile industry which impoverished the market of Bruges. Also, the less protectionist city of Antwerp entered its phase of increasing prosperity. The decline was largely hidden behind the cultural prestige of the city and the lustre shed by the Dukes of Burgundy. With the construction of the new walls of 1338, Bruges took on the oval form it retained until the 19th century.

Philip the Good, Charles the Bold and Mary of Burgundy enjoyed staying in Bruges, probably because political and social clashes were less frequent and less severe than those of Ghent. Philip the Good married Isabella of Portugal in Bruges in 1429 in the Prinsenhof which he had completely remodelled. Several hundred painters, sculptors and craftsmen were hired to make this residence a worthy rival of the most princely palaces of France. The rooms were luxuriously furnished and hung with tapestries. An elegant building was erected to serve as a bathhouse, with a steamroom.

In 1478, the Grand Duke of the Occident presided over a meeting of the Order of the Golden Fleece held in St. Saviour's church. It was also in Bruges that the dazzling marriage of Margaret of York and Charles the Bold took place, and the great pageant of the Festival of the Golden Tree was held.

The splendor of the city was enhanced by the Late Gothic architecture erected at this time. The needs of the parishes having been met on the whole, the buildings were mostly for civil purposes. The one exception was the Jerusalem chapel built by the Adorno family. Many enlargements and additions were made to existing structures, however, such as the High Gothic chapel of St. Saviour, the fifth nave of Our Lady and the Paradise portal, the completion of St. James and St. Giles, and the church and several wards of St. John's hospital.

During this same period the Town Hall was completed, the square portion of the belfry was topped with an octagonal storey, the *Poortersloge* and the Toll House, the house of the Genoese consul and the Teutonic Hanse, the Gruuthuse mansion and the Adorno, Bladelin and de Watervliet houses were all built.

The European-wide prestige of the Dukes of Burgundy, the presence in Bruges of the Arnolfinis, Tanis, Portinaris and other Italian businessmen who combined their financial and commercial activities with the acquisition of art and the constant commissioning of works of art by the city magistrates and the County Hall, by the guilds and churches, the patricians and merchants attracted flocks of painters to 15th century Bruges. They had in common great talent, mastery of oil painting techniques and, for the greatest, not being natives of the city they adorned. Such was the case of Jan van Eyck from the Meuse, Petrus Christus of the Campine, the Rhinelander Hans Memling, the Hollander Gerard David, and Hugo van der Goes of Ghent. At the same time as scores of minor masters native to Bruges, or from elsewhere, they made the city an increasingly influential artistic centre.

After the accidental death of Mary of Burgundy in 1482 Bruges, thinking to exploit the uncertain situation, rose in revolt against her husband, Maximilian of Austria. He was taken hostage and held in the Cranenburg mansion. Only one cautious voice counselled against this action, that of Pierre Lanchals, a high city official. The mob of Bruges, in a fury, put him to death. According to legend, when Maximilian was liberated he remembered this loyal citizen whose name in Flemish meant "long neck" and who sported a swan on his coat of arms. He therefore decreed that the city of Bruges, in atonement, would maintain in perpetuity the swans on its canals.

Several years later, in 1495, the German doctor Jerome Münzer, travelling in the Low Countries, wished to view Bruges from on high. "We climbed the 380 steps of the highest tower and I could see that the perimeter of the city equals that of Milan in Lombardy. The city is built on a circular plan with very strong ramparts around it, turning around the gates in such a way as to give a defensive fire field, and as well as that, a wide embankment. On top of this embankment on the whole stretch of the circular walls, one sees thirty or forty windmills. Beyond this embankment are two waterfilled ditches, both wide and deep, providing good fortifications for the city."

After which the erudite burgher of Nuremberg descended the tower and mingled with the crowd, for his own pleasure it seems. "The people", he observed, "are very friendly and sociable. The men are handsomely attired and their garments are as long as those worn by the clergy. The women are beautiful and slender. They dress very well, often in a very bright red. They are much given either to love or to religion. For in all these north-west regions they go to extremes: all or nothing. This is very plain to see, as far as dress or any other custom is concerned."

When Queen Jeanne of Navarre visited Bruges with her husband, Philip the Fair in 1301 she too was astonished by the beauty and elegance of the women. "What is this", she cried indignantly, "I thought I alone was queen but here I find them by hundreds!"

"There is a place", continues Jerome Münzer, "where the merchants meet. It is called the Bourse (stock exchange). There gather the Spanish, Italians, English, Germans, Easterlings, in short all the nations. There are certain streets reserved for the Spanish, others for Florentine houses, or for the Genoese. The Easterlings have a very handsome atrium and a magnificent dwelling with a beautiful high tower, much ornamented. And in the neighbourbood, under ground, are the cellars where they sell their merchandise."

On April 18, 1515 Charles the Fifth, greeted by his aunt Margaret of Austria, made his Joyous Entry through the streets of Bruges under Renaissance-style arches. He returned often to this city where his grandmother, Mary of Burgundy, was buried. Contrary to Antwerp, Bruges did not profit from the economic expansion of the early 16th century, but this did not prevent it from celebrating lavishly the victory of the Emperor over Françis I of France at Pavia in 1525. The County Hall was given a monumental chimney-piece depicting the glory of the dynasty, designed by Lancelot Blondeel.

Under Charles the Fifth the Renaissance style, more or less introduced by the triumphal arches of 1515, was accepted more quickly in Bruges than in other Low Countries cities. The new portal of the old County Hall and the portal of the Holy Blood chapel were in the new style which later dominated the facade of the Municipal Registry as well as the portals and corbelling of many private mansions.

In painting, Gerard David and Adriaan Isembrant made the transition, followed by the Italian Ambrose Benson and then Albert Cornelis, Lancelot Blondecl, Jan Provoost, Frans and Pieter Pourbus, the Claeissens family and Jan de Momper. But it was particularly in the decorative arts of sculpture, tapestry, stained glass and furniture that the progress of the Renaissance æsthetic is most clearly shown.

In 1469, under the reign of Charles the Bold, the paupers depending on charity were no more than 316. Less than a century later, in 1544, some 7,696 people were registered for the Tables of the Holy Ghost in the seven city parishes. This was a considerable and, indeed, worrying number but at least the Tables of the Holy Ghost existed to help the most unfortunate. This was no longer true when, from 1567 to 1584 during the height of the political and religious revolt against Philip II, Bruges fell victim to the fanaticism of the Calvinists. Several clergy were burned alive in an atrocious response to the equally atrocious pyres of the Inquisition. Bishop Drieux was imprisoned in Ghent. The Augustinian monastery and the churches of St. James and of St. Giles were pillaged, while the church of St. Anna was ruined.

After the southern provinces were reconquered by Alessandro Farnese, Duke of Parma, the Pacification of 1584 calmed the population. The city Magistrate tried to encourage the local industries to recover, even relocating the Bourse in the Cloth Hall, but stagnation persisted. It was necessary to await the peaceful reign of the Archdukes Albert and Isabella (1598-1621) to see the feeble dawn of a new prosperity. The Catholic revival led to the rebuilding of churches devastated by the Calvinists and also the restoration of interiors in the triumphant baroque style: high altars, sculpture, confessionals, etc. The Cistercians of the Abbey of the Dunes were responsible for the present buildings of the diocesian seminary and the Discalced Carmelites built their church in Ezelstraat. The great architects of the Counter Reformation, the Jesuits, built their own church, now dedicated to St. Walburga. Two wings were added to the convent of the nuns of St. John's hospital. The baroque style is also evident in some 17th century patrician dwellings, as well as in the doors of about thirty almshouses.

The years of Albert and Isabella were, alas, but a brief interlude. Like the rest of the Low Countries, Bruges felt the effects of the Spanish collapse and then the invasion and occupation by the troops of Louis XIV. The city struggled just to survive.

On June 1, 1706 the Duke of Marlborough, victorious over

the armies of the Sun King, arrived before the city gates. Bruges opened them on condition that commerce with England be re-established. A seemingly generous treaty was signed but it prohibited the import of Flemish lace and imposed a number of customs duties.

Real economic revival only became apparent under Austrian rule, particularly during the reign of Maria-Theresa and the governorship of her brother-in-law Charles of Lorraine. A commercial basin for high seas shipping was created near the Dampoort and the road network linking Bruges to the other principal cities of the states was improved. The wool and linen thread markets were re-established as well as new textile industries which soon prospered. A glass factory was opened and then the Hendrik Pulinx earthenware factory. Harking back to the past, Bruges lace was once more distinguished by its elegance. Two indications of an economic revival can be seen: new warehouses were built in 1756, 1771 and 1778 and the city magistrate took severe measures against night work.

The style of the new buildings mirrored the period, vacillating between two æsthetic tendencies. Baroque relieved by rococo lasted until the middle of the 18th century, giving way to classicism. Thus the appearance of Bruges was formed, initially dominated by Gothic and subsequently enriched by Renaissance, baroque, rococo and classical elements.

Judging by the genre paintings of Jan Garemijn life in Bruges did not lack charm in the second half of the 18th century. Rowdy everyday life is depicted at the time when the Ghent canal was dug, and also the refined world of the salon in the French style.

Bruges was twice occupied by French revolutionaries, first only briefly from November 30, 1792 to March 30, 1793 and then for a much longer period running from June 25, 1794 until the defeat of Napoleon at Leipzig. Suffering the same fate as St. Lambert's cathedral at Liège St. Donatian was totally demolished. The Jesuits' church was rededicated to the Goddess of Reason. The sarcophagus of Mary of Burgundy in the church of Our Lady was smashed, then cut into pieces and her bones scattered. The guilds were abolished and many of their houses destroyed. The main square was renamed Place Napoleon and the Rosary Wharf was dedicated to Voltaire!

Bruges became the county seat of the Department of the Lys. Under the Consulate and the Empire the mayor, his three assistants and the council were all appointed by Napoleon. They did what they could to encourage industrial activity which was in a favorable position because of the Continental Blockade, but they could not prevent young men from enrolling in or being conscripted into the army which was massacred on the plains of Russia.

The Congress of Vienna of 1815-15 gave our provinces to the United Provinces, forming the Kingdom of the Netherlands. The Department of the Lys became the Province of West Flanders with Bruges remaining as its capital. When the Belgians gained their independence in 1830 they did not change this.

The Industrial Revolution, begun under the Dutch regime continued throughout the 19th century but hardly touched impoverished Bruges which remained essentially a city of arts and crafts, including a cottage industry in lace. Some fine buildings and houses were erected, however, either in the neo-classical style, or following the European fashion, the Gothic Revival. The economic stagnation of Bruges saved it from disastrous unchecked urbanisation. In 1887 Leopold II visited Bruges to inaugurate a monument on the Grand-Place dedicated to the glory of Breydel and de Coninck, two Flemish heroes of 1302. He stated the case for the preservation of an architectural heritage: "The city of Bruges is right to restore its monuments, to carefully preserve its character, to not fill the ditches which surround it, to maintain the old gates and by replanning its roads, save interesting buildings. I am very pleased that there now seems to be general agreement on this, which was not always the case."

The second King of the Belgians also strove to improve the port of Zeebrugge thus laying the foundations for the development which finally pulled Bruges out of its economic slump and gave it real prosperity.

Bruges the Living, however, has lost nothing of the splendor which so charmed the Romantic admirers of Bruges the Dead.

▷
Naast de kapel (15de eeuw) staat het in de 17de eeuw herbouwde huis van de overste van de begijnen, de Grootjuffrouw. Onder het madonnabeeld boven de deur staan de woorden «Hier is 't de wijngaard van Maria» die aan de oorspronkelijke naam van de plek herinneren.

Jouxtant la chapelle du XVᵉ siècle, l'habitation de la supérieure — appelée Grande Maîtresse puis Grande Dame — a été reconstruite au XVIIᵉ siècle. La Madone au-dessus de la porte rappelle l'ancienne dénomination du béguinage : «Hier is't de wyngaard van Maria» (Ici est la vigne de Marie).

Next to the 15th century chapel is the house of the Superior, once called the Great Mistress and then the Great Lady. It was rebuilt in the 17th century. The Madonna above the door recalls the motto of the Béquinage : "Hier is't de wyngaard van Maria" or "Here is Mary's vineyard."

Neben der Kapelle aus dem 15 Jh. steht das im 17 Jh. neu errichtete Haus der Priorin, früher der Vorsteherin der Beginen. Die Inschrift «Hier ist der Weingarten Marias» unter der Statue der Gottesmutter erinnert an den ursprünglichen Namen des Ortes.

Es gibt Volksetymologien, gegen die nicht nur die Gelehrten, sondern vielleicht sogar die Götter vergebens kämpfen. So liegt für einen Flamen kaum etwas näher, als den Namen «Brugge» von «bruggen» d.h. Brücken abzuleiten, zumal die Stadt ja reich an Brücken ist. Doch als der Name 875 zum erstenmal auftaucht, ist Brügge ein Landungsplatz, an dem vor allem angelsächsische und skandinavische Schiffe anzulegen pflegten. Deshalb führt man den Namen auf das skandinavische bryggia d.h. Landungsbrücke zurück. Die Volksetymologie ist also im vorliegenden Falle nicht völlig abwegig, doch unvollständig.

Vor undenklichen Zeiten genügte die ansteigende Flut, um die Gegend bis weit über Brügge hinweg unter Wasser zu setzen. Aus dem Wasser ragten ein paar sandige Hügel heraus, u.a. der spätere Marktplatz mit seiner Burg.

Balduin I., «Eisenarm» genannt, seit 864 der erste Graf Flanderns, baute diese halb verfallene Burg zu einer Festung aus und ließ die in Torhout aufbewahrten Reliquien des hl. Domitian in die Festung überführen. In den Jahrzehnten der normannischen Eroberungszüge, unter denen vor allem die Klöster aus der Umgebung zu leiden hatten, wurde sie eine Zufluchtsstätte. Aber man schlug auch bereits Münzen in Brügge, was auf marktähnlichen Handelsverkehr schließen lässt.

Als sich die Nordsee im Laufe des 10. Jh. zurückzog, bildete sich das Zwin, eine bogenförmige Bucht, in die die Reie einmündete. Im 11. Jh. waren auf der Burg bereits zahlreiche Ausländer zu Gast. Bereits 1037 hatte das Schiff Emmas, der Schwester des Herzogs Richard von der Normandie, am Kai in der Nähe der Burg angelegt. In dem Bericht über ihre Verbannung heißt es: «Diese Burg ist bekannt wegen der vielen Kaufleute, die man da trifft, und der vielen kostbaren Waren, die man da kaufen kann.» Gervais, Bischof von Reims, bestätigt dies, wenn er den großen Reichtum dort beschreibt: die reichen Ernten auf früher brach gelegenen Grundstücken, die zahlreichen Obstgärten, die Herden auf den Weiden, sogar den Weingarten, den der auch Balduin aus Lille genannte Balduin V. anlegen ließ.

Im 11. und 12. Jh. nahmen die Brügger Kaufleute noch ganz aktiv am Geschäftsleben teil. Sie fuhren selbst ins Ausland, vor allem nach London und nach Deutschland, um dort Handel zu treiben. Vom Anfang des 12. Jh. an kaufen jedoch auch ausländische Kaufleute, hauptsächlich Dänen und Italiener, in Brügge Partien Tuch aus Ypern, um sie in Nowgorod oder auf den Jahrmärkten in der Champagne an Kunden im Mittelmeerraum zu verkaufen. Es war die Zeit, als Stadtluft frei machte. Jeder Leibeigene, der sich einige Zeit in einer Stadt aufgehalten hatte, wurde freier Bürger. Doch wie in den anderen flämischen Städten hatten auch in Brügge die Patrizier die Macht in Händen.

Da Karl der Gute kinderlos gestorben war, ernannte sein Feudalherr, der französische König Ludwig VI., Wilhelm Cliton, den Enkel Wilhelm des Eroberers und Mathildes, der Tochter Balduins VI., zu seinem Nachfolger. Wie den anderen flämischen Städten blieb Brügge nichts anderes übrig, als dieser Wahl zuzustimmen, doch sowohl der neue Graf wie der aus diesem Anlass nach Brügge gekommene König Ludwig VI. mussten den Städten in einem Freibrief ihre Privilegien bestätigen, ihr Recht auf Selbstverwaltung und eigene Rechtsprechung anerkennen. Wilhelm Cliton versuchte in der Folge, einige der gewährten, wichtigen Privilegien zu widerrufen, doch diesen Meineid beantworteten die Städte mit einem Aufstand.

Ludwig VI. versuchte vergeblich, seinem Schützling unter die Arme zu greifen, dieser kam am 27. Juli 1128 bei der Belagerung der Stadt Aalst ums Leben. Dietrich vom Elsass ein Vetter Karls des Guten, wurde zum Grafen von Flandern ernannt, nachdem er geschworen hatte, er werde die Privilegien der Städte nicht schmälern. Jetzt hatte Ludwig VI. das Nachsehen.

Er sah sich gezwungen, Dietrichs Huldigung entgegenzunehmen und ihn mit der Grafschaft zu belohnen. Auf diese Ereignisse folgte eine Zeit, in der die expandierenden und die stabilisierenden Kräfte einander die Waage hielten. Prof. Wim Blockmans schreibt: «Der flämische Hochadel wurde so sehr durch die Kreuzzüge in Anspruch genommen, dass er im eigenen Land kaum noch eine nennenswerte Rolle spielte. Die Städte und die Verwalter führten das große Wort. » Dietrich vom Elsass folgte dem Aufruf des hl. Bernard und zog viermal ins Heilige Land. Bei einem seiner Feldzüge schenkte ihm der Patriarch von Jerusalem die Ampulle, in der Nikodemus und Joseph von Arimathea auf dem Kalvarienberg einige Tropfen von Christi Blut aufgefangen hatten. Der Graf und Kreuzritter beschloss, sie der Stadt Brügge zu schenken und trug seinem Kaplan Leo von St. Bertin auf, sie dorthin zu bringen.

Am 7. April 1150 kehrte Dietrich nach Flandern zurück. Ganz Brügge war begeistert. Die Fahnen der Zünfte flatterten im Wind, vor den Häusern der Patrizier hingen große Wandteppiche und auf den Boden hatte man Blumen gestreut. Spätestens seit dem 13. Jh. gedenken die Brügger alljährlich dieses Ereignisses im Monat Mai. Wie ein farbenfrohes Band ziehen dann Gruppen freiwilliger Mitwirkender durch die Straßen und stellen die Geschichte der Menschheit dar, die durch Christi Blut erlöst wird. Die Ankunft des prachtvollen, vom Brügger Goldschmied J. Crabbe zwischen 1614 und 1617 verfertigten Schreins des Hl. Bluts bildet natürlich den Höhepunkt der Feierlichkeiten.

Damals war die Oude Burg noch das Herz der Stadt. Seit ungefähr 1100 umschlossen die Stadtmauern ein 86 ha großes Gebiet, das die Schiffe nur noch bei ansteigender Flut erreichten. Schon hatte man Damme zu einem Vorhafen ausgebaut, während der Handel zu Land in jährlichen Handelsmessen gipfelte. Im 13. Jh. eröffneten die Italiener und die Deutschen ihre Kontore in der Stadt. Bald folgten die Engländer, die Schotten, die Spanier, die Katalanen, die Basken, die Genueser, die Florentiner, die mailändischen Kaufleute und die aus Lucca...

Die französischen Könige hofften immer noch, das reiche Flandern schlichtweg annektieren zu können, da es ihrer Lehnsherrschaft unterstand. Dank dem Bündnis, das er mit England geschlossen hatte, gelang es dem Grafen Ferrand von Portugal, die einen Angriff planende französische Flotte vernichtend zu schlagen. Philipp II., auch Philipp-August genannt, rächte sich bei Bouvines, wo er 1214 die Heere der verbündeten Flamen, Brabanter, Engländer und Deutschen besiegte. Der auf dem Schlachtfeld gefangengenommene Ferrand von Portugal verbrachte anschließend zwölf Jahre im Gefängnis. Im Jahre 1300 ereilte das gleiche Los Guido von Dampierre. Er hatte sich auch mit den Engländern verbündet, diesmal gegen Philipp den Schönen. Dieser sperrte seinen Vasallen in Compiègne ein und befahl die Annexion Flanderns an die Krondomäne. Mit Hilfe der Patrizier oder Leliaards (Anhänger der Lilie, d.h. des französischen Königshauses) gelang es ihm, das Land zu besetzen. Die Handwerker, die seit langem die völlige Machtkonzentration in den Händen der reichen Kaufleute beargwöhnten, widersetzten sich. Überall in Flandern gab es Unruhen, die von dem anscheinend schwächlichen Volkstribun Pieter de Coninck in Szene gesetzt wurden. Doch die mehr schlecht als recht organisierte Bewegung wurde erst wirklich schlagkräftig, als das gräfliche Haus von allen Städten anerkannte Führer an ihre Spitze stellte: Wilhelm von Jülich, Jean von Namur und dessen Bruder Guido. Demokratie und gräfliche Dynastie waren sich einig geworden und verfolgten dieselben Ziele.

Am 18. Mai 1302 beim Morgengrauen entlud sich das Ungewitter. Während die französischen Kriegsleute in Brügge noch schliefen, stachen die Klauwaards (Anhänger der Klauen d.h. Tatzen des Löwen von Flandern) die Wache nieder, bemächtigten sich der Stadttore und veranstalteten im Halbdunkel ein entsetzliches Gemetzel. Manche wurden in ihren Betten umgebracht, auf andere wurde in den engen Straßen Jagd gemacht. Von Brügge aus griffen die Unruhen auf die Niederlande insgesamt über, einschließlich des Fürstbistums Lüttich. Doch in Flandern hatte die Erhebung einen nationalen Charakter.

Philipp der Schöne wollte die Lage retten, indem er ein starkes Heer mit Rittern in voller Rüstung und goldenen Sporen an ihrem Schuhwerk auf die Rebellen losschickte. Auf den Feldern von Groeninge bei Kortrijk wurden sie von einem Heer besiegt, das aus Arbeitern und Bauern bestand, doch von einigen Lehnsmännern befehligt wurde, die ihrem Grafen Guido treu geblieben waren. Die Brügger Metten und die Schlacht der goldenen Sporen hatten zur Folge, dass wieder demokratisch regiert wurde und das gräfliche Geschlecht von Dampierre wieder an die Macht kam. Der Graf verlangte, dass die Zünfte von nun an im Schöffenkollegium und im Rat der Stadt

Brügge vertreten sein sollten.

Trotz der Kriege, der Hungersnöte, der Pestseuche von 1316 — 2.000 Leichen d.h. 5 % der Bevölkerung wurden öffentlich begraben — waren das 13. und das 14. Jh. das goldene Zeitalter in der Geschichte Brügges. Es war die europäische Drehscheibe des Handels mit Tuch und anderen Textilwaren, der Ort, an dem der Transithandel mit Rohstoffen aus der ganzen damals bekannten Welt abgewickelt wurde.

In dieser Zeit entstanden auch die Baukunstwerke, die Brügge wie die Perlen einer kostbaren Kette schmücken. Zu den romanischen Kirchen St. Donatian, St. Salvator, St. Basilius gesellt sich das Johannes-Spital. Dann kommt die Gotik auf und beherrscht nach kurzer Zeit die ganze Stadt: die Liebfrauenkirche, die St. Walburga, St. Jacobus, St. Gilles geweihten Kirchen, der Beginenhof, die mit dem Sakralbau wetteifernden Bürger- -und Kommunalbauten wie die Hallen, der Belfried, das Rathaus, zu dem L. von Male den Grundstein legte, sind nur die wichtigsten Beispiele. Auch die vielen, sehr stabil gebauten Patrizier- und Zunfthäuser müssten erwähnt werden, die steinernen Brücken, die an die Stelle von Brücken aus Holz traten. Die reichen Kaufleute aus dem Ausland waren nicht gewillt, hinter den Brüggern zurückzustehen und errichteten Kontore für sich und ihre Landsleute, die noch zum Teil erhalten geblieben sind.

Am Ende des 14. Jh. beginnt wirtschaftlich und politisch die allerdings noch strahlende Herbstzeit Brügges. Die unaufhaltsame Versandung des Zwin ist bei weitem nicht der einzige Grund. Die Flaute im flämischen Textilhandel hatte verheerende Folgen für Brügge und das fortschrittlichere Antwerpen erlebte einen raschen wirtschaftlichen Aufstieg. Diese Entwicklung blieb lange Zeit unbemerkt. Die Ausstrahlung, die Brügge auf kultureller Ebene hatte, sowie die Pracht und der Prunk der Herzöge von Burgund verschleierten die Wirklichkeit. Tatsache ist, dass die Stadt zwischen 1338, als die neuen Stadtmauern errichtet wurden, und dem Ende des 19. Jh. nicht über die eiförmige Kontur dieser Mauern hinausgewachsen ist. Philipp der Gute, Karl der Kühne und Maria von Burgund residierten gern und oft in Brügge, vermutlich weil dort die politischen und sozialen Konflikte seltener und gedämpfter waren als in Gent. Im von Grund auf umgestalteten Prinzenhof in Brügge fand 1429 die Heirat Philipps des Guten mit Isabella von Portugal statt. Hunderte Maler, Bildhauer und Facharbeiter hatten den Hof in eine Residenz verwandelt, die den prunkvollsten französischen Höfen nicht nachstand. An den Wänden der aufwendig eingerichteten Räume hingen prächtige Wandteppiche. Man hatte sogar ein zierliches Badehaus errichtet mit Kammern für Schwitzbäder und anderen, in denen Badezuber standen.

1478 fand unter Vorsitz des Großherzogs selbst ein Kapitel des Ordens vom Goldenen Vlies in der St. Salvatorkirche statt. Einige Jahre später bot die Heirat Karls des Kühnen mit Margaretha von York Anlass zu großartigen Festlichkeiten in Brügge und es wurde dort das Fest des Goldenen Baumes mit viel Prunk gefeiert.

Diese Prachtentfaltung, die kein Ende zu nehmen schien, ließ auch die Brügger Baumeister, die inzwischen zum Flamboyantstil übergegangen waren, nicht zur Ruhe kommen. Man baute kaum noch neue Kirchen, da der Bedarf der Pfarreien meistens gedeckt war, doch die Profanbauten waren umso zahlreicher. Die vom Geschlecht der Adornes gestiftete und gebaute Jerusalemkirche ist ein Ausnahmefall. Auch gab es erwähnenswerte Vergrößerungen: den Chorumgang der Salvatorkirche, das fünfte Schiff der Liebfrauenkirche, das Paradiesportal, die Vollendung der Kirchen St. Jacobus und St. Gilles und neu hinzukommende Säle im Johannes-Spital.

Zur gleichen Zeit ging der Bau des Rathauses seinem Ende entgegen, setzte man dem viereckigen Belfried das achteckige, auch Laterne genannte Stockwerk auf, baute man u.a. die Poortersloge (Treffpunkt der reichen Bürger), das Tolhuis (Zollamt), das Haus der Genueser, das Hanschaus, den Gruuthusepalast, die herrschaftlichen Häuser der Adornes, Bladelin und de Watervliet.

Der Ruhm, dessen sich die Herzöge von Burgund in ganz Europa erfreuten, die Anwesenheit Adolfinis, Tanis, Portinaris und vieler anderer italienischer Kaufleute die nicht ausschließlich kommerzielle und finanzielle Ziele verfolgten, sondern auch Kunstwerke sammelten, die Gewohnheit des Stadtrats, der Verwaltung der Umgebung Brügges, der Zünfte, der Kirchenvorständen, der Patrizier, der Kaufleute, Gemälde anfertigen zu lassen, dies alles erklärt den Zustrom zahlreicher Maler nach Brügge im 15. Jh. Ihre gemeinsamen Merkmale sind ihr großartiges Talent, ihre technische Meisterleistung bei der Verwendung von Ölfarben und — dies gilt zumindest für die großen Meister — dass sie zwar in Brügge wirkten, doch nicht in Brügge geboren waren. Jan van Eyck kam aus dem Maasland, Petrus Christus aus dem Kempenland, Hans Memling aus dem Rheinland, Gerard David aus Holland, Hugo van der Goes wahrscheinlich aus Gent. Sie alle und viele andere, auch Brügger Maler, verwandelten die Stadt in einen Treffpunkt für Kunstschaffende, der eine große Ausstrahlung hatte.

Nach dem tödlichen Unfall Marias von Burgund bildeten sich die Brügger 1482 ein, dies sei die günstige Gelegenheit, um einen Aufstand vom Zaun zu brechen. Sie nahmen Marias Gemahl Maximilian von Österreich zur Geisel und sperrten ihn in das Herrenhaus Cranenburg ein. Den einzigen der Ihren, der diesem unvernünftigen Plan nicht zustimmen, den Schultheißen Pieter Lanchals, ließen sie hinrichten. Als er seine Freiheit wiedererlangt hatte, soll, so erzählt die Legende, Maximilian sich nicht bloß an den getreuen Schultheißen erinnert haben, sondern auch an den Schwan in dessen Wappen und an die Tatsache, dass «Lanchals» auf Niederländisch in etwa «langer Hals» bedeutet. Als Buße für ihr Vergehen habe er den Brüggern deshalb zur Pflicht gemacht, immer und allzeit dafür zu sorgen, dass die Schwäne auf den Gewässern der Stadt eine Bleibe fänden...

Kurz darauf, im Jahre 1495, bereiste der deutsche Arzt Hieronymus Münzer die Niederlande, bestieg den Belfried und sah sich Brügge aus der Höhe an: «Wir sind die 330 Stufen des höchsten Turms hochgestiegen. Schätzungsweise ist der ringförmige Umkreis der Stadt so groß wie der Mailands in der Lombardei. Die Stadt ist von dicken, an den Toren aufs Doppelte anwachsenden Mauern umgeben, so dass sie mittels Geschützfeuer verteidigt werden kann. Nach außen hin liegt dann noch ein kreisförmiger Damm, auf dem mindestens dreißig bis vierzig Windmühen stehen. Jenseits dieses Damms liegen zwei breite, tiefe, mit Wasser gefüllte Gräben, so dass die Stadt sehr gut befestigt ist.»

Danach stieg der gelehrte Mann aus Nürnberg hinab und mischte sich unter die Leute. In seinem Bericht schimmern angenehme Gefühle durch: «Die Leute sind sehr zuvorkommend und gesellig. Die Männer sind schön herausgeputzt und tragen lange Gewänder wie die Geistlichen. Die Frauen sind sehr hübsch und ziemlich klein. Sie tragen schöne, oft grellrote Kleider. Sie sind sehr der Liebe zugetan, doch sind ebenfalls sehr fromm. In dem nordöstlichen Gegenden neigen die Menschen nun einmal zu dem Äußersten, nach dem Prinzip des Entweder-Oder. Ihre Art sich zu kleiden und alle ihre anderen Lebensgewohnheiten bestätigen das.»

Als Johanna von Navarra 1301 mit ihrem Gemahl Philipp dem Schönen nach Brügge kam, versetzten die Schönheit und die Eleganz der Damen sie ebenfalls in Erstaunen, so dass sie nicht ohne Boshaftigkeit ausrief: «Was soll das? Ich dachte, ich allein sei die Königin, aber hier sehe ich viele Hunderte.» Münzer fährt fort: «Die Kaufleute versammeln sich an einem Platz, der Börse genannt wird. Da treffen sich Spanier, Italiener, Engländer, Deutsche, Orientalen, kurzum alle Völker. Es gibt Straßen, die den Spaniern vorbehalten sind, andere mit Häusern für die Florentiner, die Genueser. Die Orientalen haben ein hübsches Atrium, ein prächtiges Haus mit einem schönen, mit Dekorationsarbeit geschmückten Turm. Unten um das Gebäude herum liegen die Kellerräume, in denen sie ihre Waren verkaufen.»

Am 18. April 1515 hieß Margaretha von Österreich ihren Neffen Karl V. in Brügge willkommen, und dieser feierte einen fröhlichen Einzug unter Triumphbögen im Renaissancestil. Vom wirtschaftlichen Aufschwung, der den Beginn des 16. Jh. kennzeichnet, profitierte Brügge, im Gegensatz zu Antwerpen, jedoch kaum. Dennoch feierte es mit ungetrübter Begeisterung den Sieg, den Karl V. 1525 bei Pavia über Franz I. davontrug. Im Verwaltungsgebäude für die Umgebung Brügges wurde bei dieser Gelegenheit ein imposanter Kamin aufgestellt, den L. Blondeel zum Ruhme des Herrscherhauses entworfen hatte.

Mit den Triumphbögen von 1515 war sozusagen die Renaissance in Brügge eingezogen. Sie setzte sich dort schneller durch als in den anderen Städten der Niederlande. Das Portal des Palasts des Freien Brügge (die Umgebung Brügges) und das der Heiligblutkapelle tragen bereits die Züge des neuen Stils, der kurz danach in der Fassade der Alten Kanzlei sowie in vielen Portalen und Vorsprüngen von Privathäusern völlig zum Durchbruch gelangt.

In der Malerei vollziehen Gérard David und Adriaan Isembrant den Übergang. Danach folgen der übrigens in Italien geborene A. Benson, dann A. Cornelis, L. Blondeel, J. Provoost, F. und P. Pourbus, das Geschlecht der Claeissins und J. de Momper. Doch, möge die Zahl der Maler auch noch so beeindruckend sein, Standbilder, Wandteppiche, bemalte Fenster und Möbelstücke zeigen besser als die Malerei, wie sich die Renaissance in Brügge entwickelt hat.

1469 unter Karl dem Kühnen gab es in Brügge 316 Arme, die die Stadtverwaltung um Hilfe ersuchten. 1544, noch kein Jahrhundert später, standen 7.698 Namen auf den Listen der Armenfürsorge der sieben Pfarreien. Das war bedeutend und beängstigend, doch immerhin gab es noch eine kirchliche Armenfürsorge für die Notleidenden. Als während der religiös-politischen Wirren unter Philipp II. der Fanatismus der Bilderstürmer und Kalvinisten fast ohne Unterbrechung von 1567 bis 1584 in Brügge regierte, gab es auch keine organisierte Armenfürsorge mehr. Als Antwort auf die Inquisition und deren Scheiterhaufen legten sie das Feuer unter Scheiterhaufen, auf denen Ordensleute lebend verbrannt wurden. Bischof Drieux wurde gefangengenommen und in Gent eingesperrt. Das Kloster der Augustiner, die Kirchen St. Jakob und St. Gilles wurden geplündert, die St. Annakirche verwüstet.

Nachdem Alexander Farnese die Südlichen Niederlande zurückerobert hatte, beruhigte die Genter Pazifikation die Gemüter. Der Stadtrat versuchte mit allen Mitteln, die überkommene Industrie wieder anzukurbeln, eröffnete sogar wieder eine Handelsbörse in den Hallen, doch nichts schien zu fruchten. Erst während der wohltuenden Regierungszeit der Erzherzöge Albert und Isabella (1598-1621) kehrte der Wohlstand teilweise zurück. Im Zuge der Gegenreformation wurden die von Kalvinisten zerstörten Kirchen wieder aufgebaut und innen in den Kirchen von Triumphalismus strotzende Altäre, Standbilder, Beichtstühle, usw. aufgestellt. Die Zisterzienser von Ter Duinen errichteten das heutige Priesterseminar, die barfüßigen Karmeliter ihre Kirche in der Ezelstr., die Jesuiten als Vorkämpfer der Gegenreformation die heutige St. Walburgakirche. An das Kloster der Schwestern des Johannes-Spitals wurden zwei weitere Flügel angebaut. Überdies prägen barocke Stilzüge die Portale von etwa dreißig Armenhäusern und einigen Patrizierhäusern des 18.Jh.

Leider war die Regierungszeit Alberts und Isabellas nur eine kurze Atempause. Wie überall in den spanischen Niederlanden hinterließen der Zusammenbruch Spaniens als Großmacht sowie der Einmarsch der Soldaten Ludwigs XIV. und die Besetzung durch Frankreich auch in Brügge missliche Spuren. Die Stadt versuchte zu überleben, nichts weiter.

Am 1. Juni 1706 stand der Herzog von Marlborough, der die Heere des Sonnenkönigs besiegt hatte, vor den Toren Brügges und ersuchte Einlass. Der Stadtrat machte von der Gelegenheit Gebrauch, um ggf. eine Liberalisierung des Handels mit England zu erzwingen. Man schloss einen anscheinend großzügigen Vertrag, doch die Einfuhr von flämischer Spitze blieb verboten und viele Waren blieben zollpflichtig.

Der eigentliche wirtschaftliche Aufschwung setzte erst während des österreichischen Regimes wieder ein, d.h. vornehmlich unter Maria Theresia und dem Generalgouvernement ihres Schwagers Karl von Lothringen. Während bei der Dampoort ein Dock für Handelsschiffe mit großem Tiefgang angelegt wurde, entwickelte man das Straßennetz, das Brügge mit den großen Städten des Landes verband. Wieder wurde mit Wolle und Linnen gehandelt, neue Textilmanufakturen, eine Glasbläserei, die Steingutfabrik H. Pulinx entstanden und entwickelten sich. Auch die Brügger Spitzenfabrikation lebte wieder auf und bestach durch ihre erlesene Qualität. Dass 1756, 1771 und noch einmal 1778 neue Lagerhallen gebaut wurden und dass der Stadtrat energisch gegen Nachtarbeit einschreiten musste, sind zwei weitere, untrügliche Zeichen der sich belebenden Konjunktur. Wie die Epoche schwankte auch ihr Baustil, in dem sich neue ästhetische Wertvorstellungen bemerkbar machten. An die Stelle des Barockstils trat das Rokoko, das aber bereits in der Mitte des 18. Jh. mancherorts durch klassizistische Bestrebungen zurückgedrängt wurde. So nahm Brügges Gesicht auch in baukundlicher Hinsicht immer genauere Züge an: die Gotik war und blieb vorherrschend, aber wurde im Lauf der Zeiten durch der Renaissance, dem Barock, dem Rokoko und dem klassizistischen Stil entlehnte Elemente angereichert.

Wenn man den Genrebildern J. Garemijns Glauben schenken darf, war das Leben in Brügge während der zweiten Hälfte des 18. Jh. recht heiter und beschwingt. Neben der ausgelassenen Lebensfreude des einfachen Volkes, wie sie ein Bild zeigt, das G. anlässlich der Grabung des Genter Kanals malte, war Raum für verfeinerte Lebensformen, denen die Pariser Salons und die französische Mode als Vorbild dienten.

Zweimal wurde Brügge von den französischen Revolutionären besetzt, vom 30. November 1792 bis zum 30. März 1793 und während der viel längeren Periode, die am 25. Juni 1794 begann und bis zur Niederlage Napoleons vor Leipzig dauerte. Wie die St. Lambertuskathedrale in Lüttich wurde die St. Donatianskirche in Brügge völlig zerstört, während in der Jesuitenkirche der Göttin Vernunft Verehrung und Lob gezollt wurde. In der Liebfrauenkirche erbrachen Plünderer das Grabmal Marias von Burgund, verkauften Teile und zerstreuten die Gebeine der Fürstin. Die Zünfte wurden aufgehoben und viele Zunfthäuser zerstört. Der Marktplatz wurde umgetauft und «Place Napoléon» genannt; der Rozenhoedkaai (Rosenkranzkai) wurde Voltaire «geweiht».

Brügge wurde der Hauptort des Departements «de la Lys», d.h. der Leie, während des Konsulats und der Kaiserzeit wurden der Bürgermeister, seine drei beigeordneten Stellvertreter und der Stadtrat von Napoleon ernannt. Die Kontinentalsperre machte es möglich, die Erlahmung des Wirtschaftslebens zu verhindern, doch die jungen Männer aus Brügge wurden einberufen, und manche von ihnen verbluteten als Soldaten des Kaisers in den Ebenen Russlands.

Der Wiener Kongress gliederte das zukünftige Belgien in das Königreich der Niederlande ein. Aus dem «Département de la Lys» wurde die Provinz Westflandern, und Brügge wurde Provinzhauptstadt. Daran änderte sich kaum etwas, als Belgien 1830 das Joch der holländischen Herrschaft abschüttelte und unabhängig wurde.

Die schon vom holländischen Regiment eingeleitete industrielle Revolution setzte sich im Laufe des 19. Jh. immer entschiedener durch, doch ging fast spurlos am verarmten Brügge vorbei, in dem doch nur Handwerksleute und Spitzenklöpplerinnen lebten. Wohl wurden einige Häuser und andere Gebäude errichtet, teils in klassizistischem, teils im überall in Europa Furore machenden neugotischen Stil. Der wirtschaftliche Dornröschenschlaf Brügges im 19. Jh. ersparte ihm die üblen Folgen rücksichtsloser Städteplanung, die nur wirtschaftliche Nutzung im Auge hat. Als Leopold II. 1887 auf dem Marktplatz von Brügge das Standbild zu Ehren Breydels und De Conincks, der zwei flämischen Volkshelden von 1302, enthüllte, wies er darauf hin, wie wichtig die Instandhaltung der Baudenkmäler ist und führte aus: «Brügge hat recht, wenn es seine Baudenkmäler restauriert, wenn es ängstlich darauf bedacht ist, seine Eigenart nicht zu verlieren, wenn es die Wassergräben nicht zuschüttet, die es umgeben, und seine Stadttore nicht schleift, ja, wenn es stilvolle Häuser nicht abreißt, auch wenn dies zur Verbesserung des Straßennetzes beitragen würde. Ich freue mich, dass diesbezüglich jetzt ein allgemeiner Konsens zu bestehen scheint, was früher nicht immer der Fall war.»

Leopold II. hatte sich auch für den Ausbau des Seehafens von Zeebrügge eingesetzt. Dadurch wollte er die solide Grundlage für einen dauerhaften wirtschaftlichen Aufschwung schaffen und den Wohlstand der Stadt sichern.

So ist das von romantischen Bewunderern einst totgesagte Brügge heute eine Stadt, die lebt und doch den Glanz ihrer Vergangenheit unversehrt bewahrt hat.

Reeds voor de bouw van de grote stadsomwalling op het einde van de 13de eeuw was hier, waar de bedding van de Reie erg laag was, een meer ontstaan, dat dieper uitgegraven werd en als stroomopwaarts van de stad liggend handelsdok werd gebruikt. In de 16de eeuw was er aan het noordelijke uiteinde van het Minnewater een sas met drie deuren en daarbovenop het door M. Sabbe beschreven Sashuis (1622-1623).

Even before the great wall was built at the end of the 13th century, the Reie had formed a lake in a depression. This lake was later enlarged and given the name Minnewater. It was the commercial basin upstream from the city. In the 16th century the Minnewater was still closed to the north by a triple-gated lock. The lock keeper's house was built on top of the hydraulic works around 1622-23.

Avant même la construction de la grande enceinte à la fin du XIIIᵉ siècle, la Reie avait formé un lac dans une dépression du terrain. Ce lac fut ensuite agrandi et prit le nom de Minnewater. C'était le bassin de commerce en amont de la ville. Au XVIᵉ siècle, le Minnewater était encore fermé au nord par une écluse à trois vannes. La maison de l'Eclusier (1622-1623) était établie sur l'ouvrage hydraulique.

Bevor am Ende des 13. Jh. die große Stadtmauer gebaut wurde, war die Reie in dieser Senke zu einem See ausgeufert. Diesen vergrößerte man und nannte ihn Minnewater. Es war der Binnenhafen für den Handel mit stromaufwärts gelegenen Ortschaften. Im 16. Jh. gab es an der Nordseite des Minnewaters noch eine Schleuse. 1622-1623 baute man über dieser Sperrvorrichtung ein Häuschen für den Schleusenmeister.

(Blz. 26 tot 29)

Rond 1225 begonnen enkele juffrouwen samen te leven als begijntjes op de plaats genoemd Vinea (wijngaard) bij de Reie. Twintig jaar later verhief gravin Margaretha van Constantinopel het beluik tot onafhankelijke parochie. Het begijnhof kende in de 15de eeuw een grote welvaart die, alhoewel onderbroken tijdens de godsdienstige troebelen in de volgende eeuw, nog toenam in de 17de en 18de. Het begijnhof bestaat uit een veertigtal witgeschilderde huisjes met puntgevels die rond een ruim, met bomen beplant grasplein staan. Nu wonen er geen begijntjes meer, maar de leden van een in 1927 gestichte kloostergemeenschap die de regel van Sint-Benedictus onderhoudt.

Het Minnewater en de naar het begijnhof leidende stenen brug (1739-1740) zijn nooit betoverender dan op een winterochtend met rijm en ijzel. Dan is het alsof de tijd stilstaat en verbreekt geen toerist de betovering.

(Pages 26 à 29)

Vers 1225, quelques jeunes filles groupèrent pour vivre la vie de béguines près de la Reie, au lieu-dit la Vigne. Vingt ans plus tard, la comtesse Marguerite de Constantinople érigea leur enclos en paroisse indépendante. Au XVe siècle, le béguinage connut une période de grande prospérité, interrompue par les troubles religieux du siècle suivant mais poursuivie et amplifiée au cours des XVIIe et XVIIIe siècles. Entourant une vaste pelouse plantée d'arbres, une quarantaine de petites maisons blanches à pignons abritent désormais la communauté des Filles de l'Eglise, fondée en 1927. Cette communauté a adopté la règle de saint Benoît.

Le paysage du Minnewater et du pont en pierre (1739-1740) donnant accès au béguinage n'est jamais aussi fascinant qu'à l'aube givrée d'un jour d'hiver, quand aucun touriste ne hante les lieux.

(Pages 26 to 29)

Around 1225, some young women formed a group to live the life of béguines, or secular nuns, near the Reie at the site called Vinea, or vine. Twenty years later, Countess Margaret of Constantinople had their close made into an independent parish. In the 15th century the Béguinage prospered, but in the following century endured a period of religious strife. It flourished anew in the 17th and 18th centuries. Some forty little gabled houses surrounding a vast lawn, planted with trees, now shelter the Community of Daughters of the Church, founded in 1927, who follow the rule of St. Benedict.

The scene of the Minnewater and the stone bridge (1739-40) leading to the Beguinage is never as lovely as on a frosty winter morning when no one is about.

(Seiten 26 bis 29)

Gegen 1225 schlossen sich einige junge Frauen zusammen, um bei der Reie an einem als Vinea (Weingarten) bezeichneten Ort als Beginen zu leben. Margaretha von Konstantinopel verhalf ihnen 20 Jahre später zur Anerkennung als unabhängige Pfarrei. Für den Beginenhof war das 15. Jh. eine Zeit großen Wohlstandes, der während der religiösen Wirren des 16. Jh. ins Stocken geriet, dann aber wieder zwei Jahrhunderte lang ständig zunahm. Die etwa vierzig weißen, mit Giebeln versehenen Häuschen umgeben eine große, mit Bäumen bepflanzte Rasenfläche. Seit 1927 werden sie durch die Gemeinschaft der Töchter der Kirche, die die benediktinische Ordensregel befolgen, bewohnt.

Das Minnewater (Wasser der Liebenden) und die zum Beginenhof führende Brücke (1739-1740) sind am bezauberndsten, wenn an einem Wintermorgen die menschenleere Landschaft mit Reif überzogen ist.

◁

Te midden van de eenvoudige huisjes die de tuin van het Begijnhof omringen, staat een gotisch huis waarvan de stijl typisch Brugs is. De vensteropeningen zijn in boognissen gevat, die op de gelijkvloerse verdieping nog vrij bescheiden zijn, maar ter hoogte van de eerste en de tweede verdieping breder worden en in een driepasboog uitlopen. Er is hier geen huisdeur in de gevel; die bevindt zich in een bijgebouwtje vlak daarnaast.

Entourée des simples demeures alignées le long du jardin du Béguinage, s'élève une maison caractéristique du style gothique brugeois. Les baies sont prises dans des niches cintrées, petites au rez-de-chaussée, plus larges et décorées d'un arc trilobé aux premier et deuxième étages. La façade n'est percée d'aucune entrée, l'accès se faisant par un édicule qui la jouxte.

Surrounded by simple houses lining the green of the Béguinage is a house in the Bruges Gothic style. The windows are set in arched recesses, small on the ground floor, wider and decorated with trefoils on the first and second storeys. There is no entrance in the façade, access being given by an adjoining extension.

Im Garten des Beginenhofes stehen die schlichten Häuschen nebeneinander. Inmitten dieser Häuschen steht ein gotisches Haus, dessen Stil für Brügge typisch ist. Die Öffnungen sind in Blendmaßwerk zusammengefasst. Im Erdgeschoß ist dieses zurückhaltend, in den höheren Stockwerken breitet es sich aus und mündet in Kleeblattbögen. Die Haustür befindet sich hier in einem kleinen Anbau neben der eigentlichen Fassade.

△▽

Wanneer ze van hun werk bij de zieken of de armen terugkwamen, of de religieuze diensten bijgewoond hadden, trof men de begijnen één voor één in hun woning op het hof aan. Een eenvoudig huis, even sober ingericht als in de heiligenprentjes, maar waarin 's winters een gietijzeren pan een zachte gloed verspreidt : zelfs het gebed vereist een zeker comfort, verklaarde Sint-Ignatius van Loyola.

Quand elles revenaient de leur travail notamment auprès des malades et dans les hospices, ou après avoir assisté aux offices religieux, les béguines retrouvaient chacune leur logis dans l'enclos. Un logis simple, au mobilier aussi élémentaire que les images pieuses mais où, en hiver, un poêle en fonte répandait une douce chaleur : même la prière demande un certain confort, affirmait saint Ignace de Loyola.

When they returned from their work with the ill or in hospices or from attendance of religious services, each béguine entered her own dwelling. The houses were simple with furniture as basic as the pious images but had a cast iron stove which emitted a soft warmth in winter for, as Saint Ignatius Loyola said, even prayer requires a certain comfort.

Nach ihrer Arbeit bei den Kranken und in den Armenhospizen oder nachdem sie einer Messe beigewohnt hatten, kehrten die Beginen jede in ihre eigene Wohnung innerhalb der Umfriedung zurück. Ein einfaches Haus mit jener spärlichen Einrichtung, wie sie auf den Heiligenbildern zu sehen ist, aber worin im Winter eine gusseiserne Pfanne eine milde Wärme verbreitete: Selbst das Gebet verlangt einen gewissen Komfort, erklärte der heilige Ignatius von Loyola.

△
De St.-Salvatorkerk (nu kathedraal; *rechts*) en de Onze-Lieve-Vrouwekerk *(links)* stonden aan de buitenkant van de eerste stadsomwalling, d.w.z. oorspronkelijk niet op Brugs grondgebied. De eerste maakte deel uit van de parochie Snellegem, de tweede van de tot het bisdom Utrecht behorende parochie Sijsele. Maar weldra groeide Brugge over de oevers van de Reie uit, zodat de torens van beide kerken alom zichtbare oriëntatiepunten werden in een alsmaar dichter bevolkte stad.

The original churches of Our Lady *(left)* and St. Saviour *(right)* were both built outside the first city wall and did not belong to the city's territory. One was tributary to the parish of Snellegem, the other to that of Sijsele in the Bishopric of Utrecht. Bruges quickly spread beyond the banks of the Reie and, when they were built, the towers of Our Lady and St. Saviour rose as notable landmarks, clearly seen in a more and more densely built city.

Erigées l'une et l'autre en dehors de la première enceinte, les églises primitives de Notre-Dame *(à gauche)* et de Saint-Sauveur *(à droite)* n'appartenaient pas au territoire de la ville. L'une dépendait de la paroisse de Snellegem, l'autre de celle de Sijsele qui relevait de l'évêché d'Utrecht. Mais très vite Bruges se développa au-delà des rives de la Reie et les tours de Notre-Dame et de Saint-Sauveur se dressèrent comme de prestigieux repères partout visibles dans une cité où l'habitat était de plus en plus dense.

Ursprünglich standen sowohl die St.-Salvator *(links)* wie auch die Liebfrauenkirche *(rechts)* außerhalb der Stadtmauern, folglich auch des Stadtgebiets. Erstere gehörte zur Pfarrei Snellegem, letztere hing vom Bistum Utrecht ab. Sobald sich Brügge jedoch auch jenseits der Ufer der Reie auszubreiten begann, wurden die später gebauten Türme beider Kirchen zu ausgezeichneten Anhalts-punkten inmitten der dichtbevölkerten Stadt.

△▷▷

De ontwikkeling van de ziekenhuizen hield gelijke tred met de groei van de stadsbevolking. Naast het rond 1276 gestichte gasthuis O.-L.-V.-ter-Potterie was er het St.-Janshospitaal, waaraan toen twee grote zalen werden toegevoegd.

De ziekenzaal (14de eeuw) en het klooster voor de hospitaal-zusters (1539) liggen langs de Reie, die de bakstenen fundering al duchtig heeft uitgehold.

Zoals haast iedereen weet zijn zes werken van Hans Memling in de kapittelzaal van het hospitaal te zien, zodat men deze zaal het Memlingmuseum is gaan noemen.

Hospitals were built as the population of Bruges increased. To the one built at the Potterie around 1276 were added the two great wards of St. John's Hospital.

The 14th century sick ward and the nuns convent of 1537 border the Reie which is causing dangerous erosion of the foundations.

St. John's Hospital has six authenticated works by Hans Memling in the former chapter hall.

L'accroissement de la population de Bruges provoqua le développement des établissements hospitaliers. A l'hôpital bâti à la *Potterie* vers 1276 s'ajoutèrent, à même époque, les deux grandes salles de l'hôpital Saint-Jean.

La salle des malades (XIVᵉ siècle) et l'habitation conventuelle des Sœurs (1539) bordent la Reie qui érode dangereusement les briques des soubassements.

Faut-il le rappeler? L'hôpital Saint-Jean conserve, en l'ancienne salle capitulaire, six œuvres de Hans Memling.

Der Bevölkerungszuwachs führte zur Errichtung neuer Spitäler und zum Ausbau der bestehenden. 1276 wurde das Hospital ter Potterie gebaut, während man gleichzeitig das Johannes-Spital um zwei große Säle vergrößerte.

Der Krankensaal (14. Jh.) und das Kloster der Schwestern (1539) liegen zur Reie hin, die jedoch die Backsteine des Fundaments in bedrohlicher Weise ausgehöhlt hat.

Wie jeder weiß, sind im ehemaligen Kapitelsaal des Johannes-Spitals sechs Werke von H. Memling zu sehen.

△▷

Memling schilderde het drieluik met St.-Jan-de Doper en St.-Jan-de Evangelist voor het St.-Janshospitaal. Deze grootse compositie draagt de titel «Het mystiek huwelijk van de h. Catharina» (1479), waarvan het middenpaneel de h. Catharina voorstelt, aan wier naar het kindje Jezus uitgestrekte vinger de Verlosser net een ring geschoven heeft.

Op het rechter zijluik zien we het visioen van Johannes op het eiland Patmos. (Memling Museum)

Memling painted the altarpiece of the two Saints John for the hospital of that name in 1497. This large composition is more commonly called "The Mystic Marriage of St. Catherine" because the central panel shows St. Catherine tendering her pearly hand to the Infant Jesus who prepares to Put a ring on her finger.

The right wing of the triptych evokes the vision of St. John the Evangelist on the Isle of Patmos. (Memling Museum)

△▷

Memling peignit le retable des deux saints Jean pour l'hôpital de ce nom. Cette grande composition de 1479 est le plus souvent appelée «Le mariage mystique de sainte Catherine» parce que le panneau central montre sainte Catherine tendant sa main nacrée vers l'Enfant Jésus qui va lui passer l'anneau au doigt.

Le volet droit du triptyque évoque la vision de saint Jean à l'île de Patmos. (Musée Memling)

Memling malte den Altaraufsatz mit Johannes dem Täufer und Johannes dem Evangelisten für das nach ihnen benannte Spital. Dieses große Triptychon ist unter dem Namen «Die mystische Hochzeit der hl. Katharina» (1479) bekannt, weil auf der mittleren Tafel die hl. Katharina dargestellt ist. Sie streckt dem Jesuskind, das ihr einen Ring an den Finger steckt, ihre perlmuttweiße Hand entgegen.

Die rechte Tafel des Triptychons zeigt eine Vision des hl. Johannes auf der Insel Patmas. (Memling Museum)

▷

Tegen de torenflank staat het baptisterium, het vroegere portaal dat men "het Paradijs" noemt. Gebouwd in 1465, ontvouwt de flamboyantstijl een reeks ineengevlechte boogjes rond de brede ramen. Elegante pilasters klimmen tot aan de opengewerkte balustrade die het dak omringt.

Accolé au flanc de la tour, le baptistère est l'ancien porche que l'on nomme «Le Paradis». Construit en 1465, son style gothique flamboyant déploie des arcatures entrelacées autour de larges fenêtres. D'élégants pilastres montent jusqu'à la balustrade ajourée qui cerne le toit.

The baptistery abutting the tower was once a porch called "Paradise". Built in the Flamboyant Gothic style in 1465, it has interlaced blind arcades around large windows. Elegant pilasters rise to the openwork balustrade around the roof.

An den Turm ist das Baptisterium, das sog. "Paradies", angefügt, ehemals die Portalvorhalle. Der spatgotische Stil des 1465 errichteten Gebäudes ist durch ineinander verschlungenes Bogenwerk rund um die breiten Fenster gekennzeichnet. Elegante Pilaster fuhren bis zur durchbrochenen Balustrade, die das Dach umgibt.

◁◁△

Het beroemde Ursulaschrijn is 93 cm lang en 86 cm hoog. Het heeft de vorm van een draagbaar gotisch kerkje. Op de zes zijpanelen heeft Hans Memling op miniatuurachtige schilderijen taferelen uit het leven van de heilige afgebeeld, zoals dat in de Legenda aurea van J. de Voragine verteld wordt. De laatste twee zijpanelen van het schrijn vormen een geheel met een ruim stadsgezicht van Keulen als achtergrond.

Haute de 86 centimètres et longue de 93, la célèbre châsse de sainte Ursule a la forme d'une chapelle portative de style gothique. Sur les six panneaux de côté, Hans Memling a transposé en images, à la manière des enlumineurs, quelques épisodes de la vie de sainte Ursule telle que racontée dans la Légende Dorée par Jacques de Voragine. Les deux derniers panneaux de côté de la châsse forment une seule composition au fond de laquelle se développe un large panorama de Cologne.

The celebrated reliquary of St. Ursula, 86 centimeters high and 93 centimeters long, is shaped like a portable chapel in the Gothic style. On the six side panels Hans Memling has depicted, in the manner of illuminators of manuscripts, some scenes from the life of St. Ursula as recounted in the Golden Legend of Jacobus de Voragine. The last two side panels of the reliquary form one composition. In the background is a panorama of Cologne.

Der Schrein der hl. Ursula ist 86 cm hoch und 93 cm lang. Er hat die Form einer tragbaren Kapelle in gotischem Stil. Auf den sechs Bildern der Seitenflügel hat Hans Memling mit an die Miniaturisten erinnernder Genauigkeit der Legenda aurea des J. de Voragine entnommene Szenen aus dem Leben der Heiligen dargestellt. Die zwei letzten Bildfelder auf den Längsseiten des Schreins bilden ein Ganzes und haben die Stadt Köln als gemeinsamen Hintergrund.

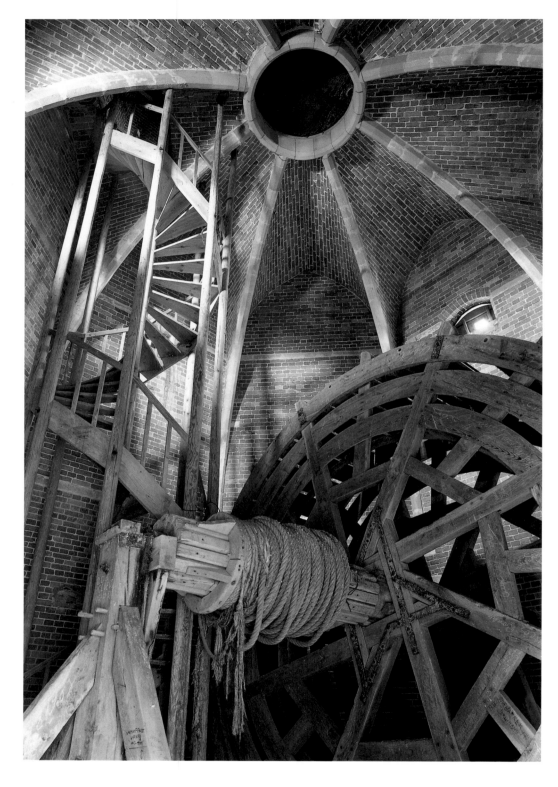

▷

Rond 1250 nam de bouw van de bakstenen toren van de O.-L.-Vrouwekerk een aanvang. Pas eind de 14de eeuw was het 120 m hoge, door steunberen met nissen verstevigde bouwwerk voltooid. De huidige, slanke torenspits dagtekent van 1853-1858, de vier torentjes en de borstwering rond de spits van 1871.

Commencée vers 1250, l'édification en briques de la tour de Notre-Dame se poursuivit durant le siècle suivant. Haute de 120 mètres, elle est renforcée par de robustes contreforts à niches. Sa flèche élancée a été reconstruite en 1853-1858, tandis que les quatre tourelles et la balustrade qui l'entourent datent de 1871.

Begun around 1250, the construction of the brick tower of Our Lady continued into the following century. One hundred and twenty meters high, it is reinforced by sturdy, bayed buttresses. Its slender spire was rebuilt in 1853-58, while the four turrets and the balustrade date from 1871.

Der 1250 in Angriff genommene Bau des Back-steinturms der Liebfrauenkirche wurde erst im folgenden Jahrhundert beendet. Das 120 m hohe Bauwerk wird durch starkes, mit Öffnungen versehenes Strebewerk gestützt. Die hoch emporragende Spitze wurde 1853-1858 wieder aufgebaut; die vier Ecktürmchen sowie die Brüstung dazwischen sind von 1871 .

△

Bovenop de toren, onder de kegelvormige spits, zette een groot wiel de klepels van de klokken Bonifacius, Jozef, Gaspar en Aloys in gang.

Beneath the conical spire at the top of the tower a huge wheel activated the clappers of the bells named Boniface, Joseph, Caspar and Aloysius.

Au sommet de la tour, sous la flèche conique, une grande roue actionnait les battants des cloches Boniface, Joseph, Gaspar et Aloys.

Oben auf dem Turm unter der kegelförmigen Spitze setzt ein großes Rad die Klöppel der Glocken Bonifatius, Josef, Gaspar und Aloys in Bewegung.

◁▽

Het op het einde van de 13de eeuw begonnen en enkele decennia later afgewerkte koor heeft dezelfde vorm maar kleinere afmetingen als dat van de kathedraal van Doornik. Boven de kooromgang vormen de steunbogen als het ware een voortzetting van de steunberen van de koorafsluiting, waardoor de druk van de gewelven gedeeltelijk wordt opgevangen. Hier is de Franse invloed op de Scheldegotiek duidelijk zichtbaar.

De praalgraven van Karel de Stoute en Maria van Bourgondië bevinden zich sinds kort niet meer in de P. Lanchalskapel maar weer in het hoogkoor. De aanmaak van het praalgraf van Maria van Bourgondië dateert van kort na haar overlijden.

The choir of Our Lady's church, begun at the end of the 13th century and finished at the beginning of the following century, reproduces, on a smaller scale, that of Tournai cathedral. Above the ambulatory, flying buttresses prolong the buttresses of the chevet, reducing the pressure of the vaulting and demonstrating the French influence on Scheldt Gothic.

The mausoleums of Charles the Bold and of Mary of Burgundy have been repositioned in the middle of the choir after a long exile in the Lanchals chapel. The tomb of the Duchess was executed several years after her death.

Le chœur de Notre-Dame, commencé à la fin du XIIIᵉ siècle et terminé au début du siècle suivant, reproduit celui de la cathédrale de Tournai mais en dimension notablement réduite. Au-dessus du déambulatoire, les arcs-boutants prolongent les contreforts du chevet et contribuent à réduire la poussée des voûtes. Ils révèlent l'influence française sur le gothique scaldéen.

On a replacé au milieu du chœur les mausolées de Charles le Téméraire et de Marie de Bourgogne, longtemps exilés dans la chapelle de Lanchals. La tombe de la duchesse fut exécutée quelques années après sa mort.

Der am Ende des 13. und zu Beginn des 14. Jh. gebaute Chor der Liebfrauenkirche ist dem der Kathedrale von Tournai nachgebildet, hat jedoch bescheidenere Ausmaße. Die Strebebögen über dem Chorumgang verlängern sozusagen die Strebepfeiler der Apsis und fangen den Druck der Gewölbe auf. Hier ist der Einfluss Frankreichs auf die Gotik im Scheldegebiet unleugbar.

Die Gräbmaler Karls des Kühnen und Marias von Burgund, die lange in der Lanchals-Kapelle aufgestellt waren, sind wieder an ihren ursprünglichen Platz im Chor zurückgekehrt. Das Mausoleum der Herzogin wurde kurz nach ihrem Tod erbaut.

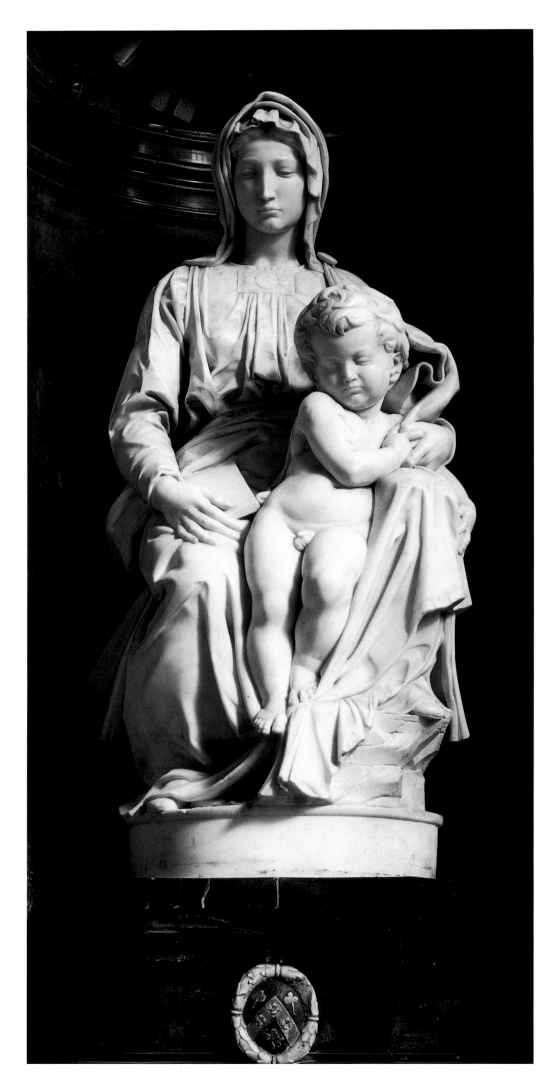

◁

In de O.-L.-Vrouwekerk staat, in een donkere nis die de witheid van het marmer prachtig doet uitkomen, de Madonna met Kind van Michelangelo, een beeld dat een ontroerende tederheid uitstraalt. De Brugse koopman Jan Mouscroen kocht het beeldhouwwerk in 1506 toen de schitterende carrière van de grote kunstenaar nog maar pas was begonnen.

A Notre-Dame, dans une niche noire qui souligne la blancheur du marbre, la Vierge à l'Enfant de Michel-Ange exprime une émouvante tendresse. L'œuvre fut acquise par le marchand brugeois Jan Mouscroen en 1506, au début de la prestigieuse carrière du sculpteur.

Before the altar of the chapel of the Virgin in Our Lady's church, in a black marble niche which accentuates the whiteness of the marble, stands the touchingly tender "Virgin and Child" by Michaelangelo. The work was acquired by Jan Mouscroen, a merchant of Bruges, in 1506 at the beginning of the famous sculptor's career.

Michelangelos Brügger Madonna steht in der Liebfrauenkirche in einer schwarzen Nische, die das Weiß des Marmors vorzüglich zur Geltung bringt. Der Brügger Kaufmann Jan Mouscroen erwarb das Werk 1506, d.h. zu einer Zeit, als die Karriere des Künstlers noch am Anfang stand.

▷

Voor de praalgraven van Karel de Stoute en Maria van Bourgondië staat een groot drieluik, door Barend van Orley begonnen en door Marcus Gerards in 1561 voltooid. Het middelste paneel groepeert Sint Jan en zijn heilige vrouwen aan de voet van Christus aan het kruis. De laterale panelen roepen vier passiescènes op.

Devant les mausolées de Charles le Téméraire et Marie de Bourgogne, le grand triptyque a été commencé par Bernard van Orley et terminé par Marcus Gerards en 1561. Le panneau central groupe saint Jean et les saintes femmes au pied du Christ en croix. Les panneaux latéraux évoquent quatre scènes de la Passion.

A large triptych begun by Bernard van Orley and finished in 1561 by Marcus Gerards stands in front of the mausoleums of Charles the Rash and Mary of Burgundy. The central panel groups Saint John and the holy women at the feet of Christ crucified. The lateral panels depict four scenes from the Passion.

Vor den Grabmälern von Karl dem Kühnen und Maria von Burgund steht ein großes Triptychon, das von Barend von Orley begonnen und von Marcus Gerards im Jahre 1561 vollendet worden war. Auf dem mittleren Bild sind der heilige Johannes und die heiligen Frauen zu Füßen des Christus am Kreuz zu sehen. Die Seitenbilder zeigen vier Passionsszenen.

△▷

De hoofdgevel van het Gruuthusepaleis is door twee tegen elkaar aangebouwde torentjes — een in gotische, een in renaissancestijl — geflankeerd. Lodewijk van Gruuthuse bouwde hem tussen 1450 en 1475, ongeveer een halve eeuw nadat zijn vader Jan de langs de Reie liggende vleugel van het paleis had laten optrekken.

In 1596 werd het paleis verkocht aan Filips II van Spanje. In 1628 deed het dienst als Berg van Barmhartigheid, d.w.z. als lommerd. In die tijd werd de woonruimte horizontaal in twee verdiepingen boven de gelijkvloerse gesplitst. In 1875 verwierf de stad het gebouw, zodat het prachtige Archeologische Museum er kon worden ondergebracht.

Het toegangsportaal heeft een typisch Brugse houten gevel met ramen en een Mariabeeld met lantaarn op een der hoeken. Het lijkt haast op een huis zonder gelijkvloerse verdieping.

Flanked by its double turret, one side Gothic, the other side Renaissance, the main façade of the Gruuthuse mansion was added in the third quarter of the 15th century by Lodewijk van Gruuthuse, some fifty years after the construction of the house by his father, Jan.

The mansion was sold to Philip II in 1596. In 1628 it became the municipal pawnshop and was divided into two storeys above the ground floor. Finally, in 1875, it was acquired by the city of Bruges to house its renowned archaeological museum.

The entry porch of the Gruuthuse mansion, resembling a house lacking a ground floor, has a wooden gable in the typical Bruges style, pierced with windows, and carrying a small statue of the Virgin, lit by a antern.

Flanquée de sa tourelle à double corps — l'un gothique, l'autre Renaissance — la façade principale du palais Gruuthuse a été édifiée au troisième quart du XVe siècle, par Louis de Gruuthuse, une cinquantaine d'années après la construction du bâtiment sur la Reie par son père Jean.

Le palais fut vendu à Philippe II en 1596. En 1628, on en fit le siège d'un Mont-de-Piété et on établit alors la division en deux étages au-dessus du rez-de-chaussée. Enfin, en 1875, la ville de Bruges l'acquit pour y installer son remarquable musée archéologique.

Le porche d'entrée comporte un pignon en bois typiquement brugeois, percé de fenêtres et orné d'une statuette de la Vierge qu'éclaire une lanterne. Il ressemble à une maison évidée de son rez-de-chaussée.

Der von zwei ineinander verschränkten Türmchen — einem in gotischem, einem in Renaissancestil — flankierte Hauptgiebel des Gruuthusepalasts wurde im Laufe des letzten Viertels des 15. Jh. von Ludwig van Gruuthuse gebaut, d.h. etwa fünfzig Jahre nachdem dessen Vater den Flügel an der Reie hatte bauen lassen.

1596 erwarb Philipp II. von Spanien den Palast. 1628 wurde das Gebäude als Pfandhaus benutzt. Aus dieser Zeit stammt die horizontale Raumaufteilung in ein Erdgeschoss mit zwei Stockwerken darüber.

Das Eingangsportal hat einen für Brügge typischen Giebel aus Holz mit eingebauten Fenstern und einer Madonna mit Laterne. Das Ganze sieht aus wie ein Haus, dessen Erdgeschoss man wie eine Schublade herausgezogen hat.

◁ Het realisme, soms op het randje af van het boertige, is een van de permanente kenmerken van de Vlaamse kunst. Op een van de talrijke balkzolen die in het Gruuthusemuseum worden bewaard, is een chirurgische ingreep uitgebeeld (18de eeuw, met motief van begin 16de eeuw). De chirurgijn verpleegt een aan aambeien lijdende vrouw, die gezien de omstandigheden haar rok heeft opgetrokken.

Le réalisme a toujours caractérisé l'art flamand; parfois il frise la grivoiserie. Parmi la collection de semelles de poutre conservées au musée Gruuthuse, l'une d'entre elles (du XVIIIᵉ siècle mais inspirée d'un motif du début du XVIᵉ) représente l'intervention d'un chirurgien qui s'efforce de soigner les hémorroïdes d'une jeune femme dont la jupe a été troussée pour la circonstance.

Flemish art has always been characterized by realism, sometimes to the point of crudity. Among the collection of beam bases at the Gruuthuse Museum is an 18th century one, inspired by an early 16th century motif. It represents a surgeon trying to treat the haemorrhoids of a young woman who has pulled up her skirt for the occasion.

Wirklichkeitsnähe, ja ein bisweilen sogar etwas derber Realismus sind ein Wesenszug der flämischen Kunst. Eine der zahlreichen Balkensohlen, die im Gruuthusemuseum aufbewahrt werden, zeigt einen chirurgischen Eingriff (18. Jh., nach einem Motiv vom Anfang des 16. Jh.). Der Medikus entfernt die Hämorrhoiden einer Dame, die, wie es die Situation erfordert, ihren Rock hochgezogen hat.

◁▷ Een trap, die in Brugse stijl heropgebouwd werd, leidt naar de eerste verdieping van het paleis, waar de tribune, een prachtig stuk schrijnwerk uit 1471, direct uitgeeft op de kooromgang van de Onze-Lieve-Vrouwkerk. Zou het in dit privé-oratorium zijn dat koning Edward IV van Engeland, verjaagd door Warwick, zijn weerwraak voorbereidde in de Oorlog van de Twee Rozen ? Toen hij opnieuw de troon besteeg, dankte hij Lodewijk van Gruuthuse voor diens gastvrijheid gedurende zijn ballingschap en verleende hem de titel van graaf van Winchester.

Un escalier reconstitué en style brugeois mène à l'étage du palais Gruuthuse où la tribune, chef-d'œuvre d'ébénisterie réalisé en 1471, donne directement dans le déambulatoire du chœur de l'église Notre-Dame. Serait-ce dans cet oratoire privé que le roi Edouard IV, chassé d'Angleterre par Warwick, prépara sa revanche dans la Guerre des Deux Roses ? Lorsqu'il remonta sur le trône, il remercia Louis de Gruuthuse de l'avoir accueilli pendant son exil en lui conférant le titre de comte de Winchester.

A staircase rebuilt in the Bruges style leads to the upper storey of the palace where the gallery, a masterpiece of wood carving done in 1471, gives directly on the ambulatory of the choir of the church of Our Lady. Was it in this private oratory that Edward IV, expelled from England by Warwick during the Wars of the Roses, plotted his return ? When he regained his throne he rewarded Louis de Gruuthuse who sheltered him during his exile by making him Count of Winchester.

Eine im Brügger Stil wieder aufgebaute Treppe führt in das erste Stockwerk des Palais, von wo aus die Tribüne, eine wunderschöne Schreinerarbeit aus dem Jahre 1471, direkt auf den Chorumgang der Liebfrauenkirche führt. War es vielleicht in diesem privaten Oratorium, wo Eduard IV., von Warwick aus England verjagt, seine Revanche im Rosenkrieg vorbereitete? Als er den Thron wieder bestieg, dankte er Lodewijk van Gruuthuse für dessen Gastfreundschaft während seines Exils und verlieh ihm den Titel Graf von Winchester.

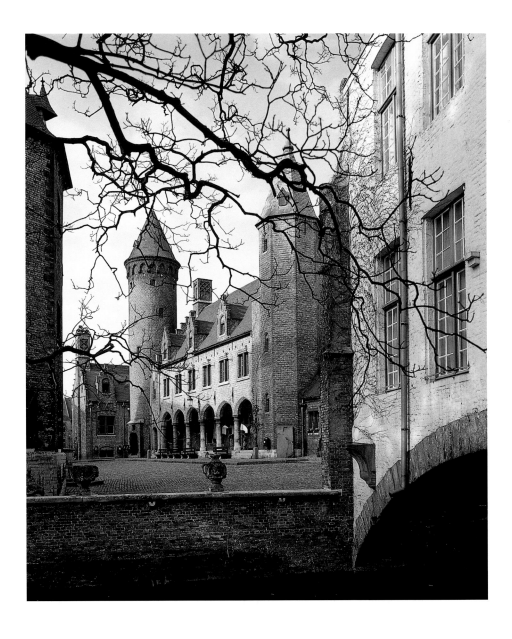

◁ De met bogen en nissen verfraaide gevel van het Gruuthusepaleis staat langs de Reie op de opslagplaats van de «gruut», een mengsel van kruiden om het bier op smaak te brengen, waarvan de familie het erg winstgevende monopolie had.

De klaverbladboog van de topgevel en zijn drie kleinere klaverbladbogen verwijzen duidelijk naar de wimbergen van de houtarchitectuur.

Ornée d'arcs et de niches, la façade du palais Gruuthuse sur la Reie se dresse à l'emplacement du magasin où était stocké le «gruut», mélange d'épices entrant dans la fabrication de la bière, dont le monopole apporta la fortune à la famille.

L'arc trilobé du pignon et ses trois trilobes plus réduits s'inspirent très nettement des gâbles de l'architecture en bois.

Trimmed with bays and arches, the façade of the Gruuthuse mansion on the Reie rises on the site of the warehouse where the "gruut", or grout, a mixture of herbs used by mediæval brewers to flavour ale before hops were used, was stockpiled. The monopoly made the family rich.

The trefoil arch of the gable and its three smaller trefoils were directly inspired by the gables of wooden architecture.

Die zur Reie hin gelegene und durch Bögen mit Nischen gegliederte Fassade des Gruuthusepalasts steht an der Stelle, an der die «gruut», eine Kräutermischung, die das Bier schmackhaft und die Familie Gruuthuse reich machte, gelagert wurde.

Der Kleeblattbogen oben im Giebel und die kleineren Dreipassbögen sind den Wimpergen der Holzbauten nachgebildet.

△ De galerijen en paardestallen aan de noordkant van het Gruuthusepaleis werden in 1483 voltooid. In 1908, toen ze instortten, haastte men zich om ze in neogotische stijl weer op te trekken. Tot kort geleden deden de gebouwen dienst als glyptotheek.

Du côté nord de la grande cour du palais Gruuthuse, des galeries et des écuries furent achevées vers 1483. Les bâtiments s'étant écroulés en 1908, on s'empressa de les reconstruire en style néo-gothique pour y abriter, jusqu'à ces derniers temps, le musée lapidaire.

The galleries and stables on the north side of the large courtyard of the Gruuthuse mansion were finished in 1483. When they collapsed in 1908, they were quickly rebuilt in the Gothic Revival style. They now house the lapidary museum.

Zum großen Hof des Gruuthusepalasts hin liegen Pferdeställe und Galerien, deren Bau erst um 1483 beendet wurde. Da die Gebäude 1908 eingestürzt waren, beeilte man sich, sie in neugotischem Stil wieder aufzubauen. Bis vor kurzem war hier eine Glyptothek untergebracht.

Op fabeldieren of boosaardige wezens lijkende waterspuiers waren schering en inslag in de gotische bouwkunst. Aan de buitenkant van de kerken vervulden ze een dubbele functie: ze deden dienst als afvoerpijp en stelden de boze geesten voor die door de gelovigen op een afstand dienden te worden gehouden. Lodewijk van Gruuthuse heeft er de gevel van zijn paleis mee verfraaid, die door middel van een galerij met de bidtribune van het geslacht der Gruuthuses in de Onze-Lieve-Vrouwekerk was verbonden.
(Rechts)
De schoorstenen van de oude huizen die men van boven op het Gruuthusepaleis ontdekt, harmoniëren met het lijnenspel op de gevels net zoals de daken waarvan vorm en kleur telkens afgestemd lijken te zijn op hun omgeving.

Gargoyles portraying fantastic or wicked creatures are part of the Gothic architectural idiom. They were not only practical for chanelling rain water but they also symbolized the demons warded off by the faithful. Lodewijk van Gruuthuse used them to decorate the facade of his mansion which was connected by a gallery to his private chapel in the church of Our Lady.
(Right)
Like the various roofs, intimately part of the scene, the old house chimneys join in the architectural ensemble as seen when looking down from the Gruuthuse.

Sous forme d'êtres fantastiques ou malfaisants, les gargouilles appartiennent au vocabulaire architectural du gothique. À l'extérieur des églises, elles n'avaient pas seulement l'utilité pratique de faciliter l'écoulement des eaux pluviales, elles symbolisaient aussi les forces démoniaques tenues à l'écart des fidèles. Louis de Gruuthuse en a voulu pour décorer la façade de son palais qu'une galerie mettait en communication avec sa tribune en l'église Notre-Dame.
(A droite)
Comme les toitures, à la fois diverses et délicatement mariées au décor, les cheminées des anciennes maisons participent au jeu architectural que l'on découvre du haut du musée Gruuthuse.

Die wie Wahngebilde oder Ausgeburten der Hölle aussehenden Wasserspeier gehören zur Formensprache der gotischen Baukunst. An den Außenmauern der Kirchen erfüllen sie außer ihrer praktischen Funktion, den Regenwasserabfluss auf annehmbare Weise zu steuern, eine zweite: Sie waren Bilder der teuflischen Wesen, die es durch den Glauben zu bannen galt. Ludwig van Gruuthuse hat mit derartigen Wasserspeiern die Fassade seines Palasts geschmückt, von der aus eine Galerie zur Bettribüne der Gruuthuse in der Liebfrauenkirche führt.
(Rechts)
Wie die vielförmigen, sanft in ihre Umgebung eingefügten Dächer tragen auch die Schornsteine der alten Häuser viel zur architektonischen Schönheit bei, die man erblickt, wenn man vom Gruuthusepalast aus über die Stadt schaut.

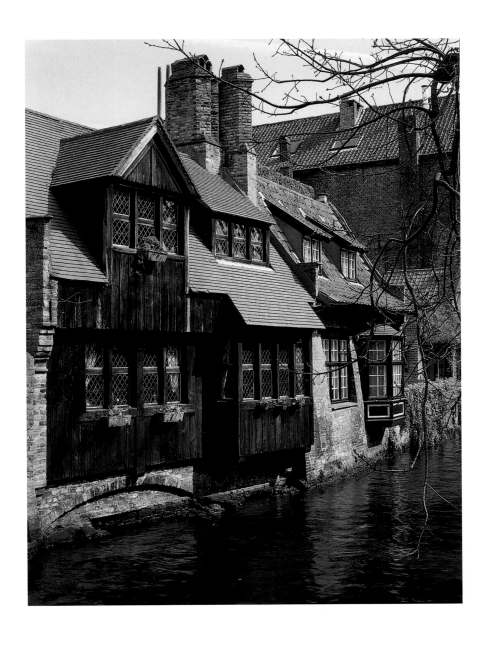

◁△

Net zoals de meeste huizen in de buurt werd het Gruuthusepaleis gerestaureerd terwijl de tuinen opnieuw werden aangelegd, zodat rond de brug over de Reie een smaakvol, bevallig geheel is ontstaan.

L'hôtel des sires de Gruuthuse a été restauré, de même que la plupart des maisons qui bordent ses jardins. L'ensemble reconstitué près du pont qui enjambe la Reie est tout de grâce et de raffinement.

The mansion of the van Gruuthuse lords has been restored, as have most of the houses which border its gardens. The reconstructed portion near the bridge spanning the Reie has a refined charm.

Wie die meisten Häuser des Viertels wurde der Gruuthusepalast restauriert und wurden die dazugehörenden Gärten umgebaut, so dass um die Brücke über der Reie herum ein anmutiges Ganzes entstand.

▷▷

De godshuizen De Meulenaere (1613) werden tijdens een periode van verval en verpaupering opgericht. De volledig gelijkvloers gebouwde, aaneenpalende huisjes hebben elk een individuele huisdeur. De horizontale lijnen worden door de hoge schoorstenen en de geveltjes als het ware opgevrolijkt.

Bâties à une époque de déclin, les maisons-Dieu de Meulenaere (1613) alignent autour d'une cour les bâtisses à un seul niveau. Les entrées sont individuelles et l'horizontalité de l'ensemble n'est rompue que par le jeu des pignons et des cheminées.

Built during a period of decline, the one-storey De Meulenaere almshouses (1613) surround a courtyard. They have individual entrances and the horizontality of the ensemble is broken only by the gables and chimneys.

Die Armenhäuser de Meulenaere (1613) sind Reihenhäuschen, die einer Periode des Niedergangs entstammen. Sie haben nur ein Stockwerk, jedoch individuelle Haustüren. Die Schornsteine und die kleinen Giebel schwächen das starke Übergewicht horizontaler Linien ab.

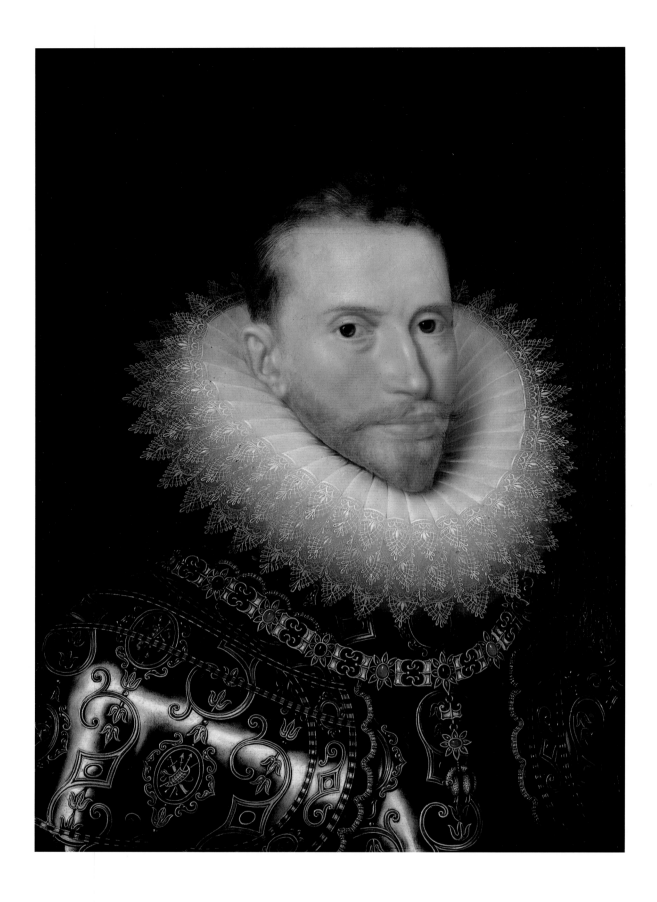

Frans Pourbus de Jongere schilderde het dubbelportret van de aartshertogen Albert en Isabella kort na hun aankomst in de Lage Landen. Eigenlijk was hun opgedragen de noordelijke Verenigde Provinciën te heroveren, maar in feite beperkten ze zich tot de herovering van Oostende (1604) en sloten daarna met de Verenigde Provinciën het Twaalfjarig Bestand (1609-1621), een ware weldaad na eenenveertig oorlogsjaren.

Frans Pourbus le Jeune a fait le double portrait des archiducs Albert et Isabelle, peu après leur arrivée dans les Pays-Bas. En principe, les archiducs avaient pour mission de reconquérir les provinces du Nord mais, pratiquement, ils se contentèrent de s'emparer d'Ostende en 1604 et de conclure avec les Provinces Unies une trêve de douze ans (1609-1621), particulièrement bienvenue après 41 années de guerre.

Frans Pourbus the Younger painted the double portrait of the Archdukes Albert and Isabelle shortly after their arrival in the Low Countries. In principle, their mission was to regain the northern Provinces, but in practice they were content with seizing Ostend in 1604 and concluding the Twelve Years' Treaty with the United Provinces (1609-21), most welcome after forty-one years of war.

Franz Pourbus d.J. malte dieses Doppelporträt der Erzherzöge Albert und Isabella kurz nach deren Ankunft in den Niederlanden. Eigentlich sollten sie die nördlichen Provinzen zurückerobern, doch nachdem Ostende sich ergeben hatte, schlossen sie den zwölfjährigen Waffenstillstand (1609-1621) mit den Vereinigten Provinzen. Nach den bereits 41 Jahre währenden Kriegswirren war dies eine willkommene Atempaus

△▷

Toen hij bij Jan van Eyck het retabel bestelde waarop men hem met gebedenboek en bril voor de Madonna ziet knielen, was Joris van der Paele kanunnik van de St.-Donaaskerk en wilde hij een kapel van die kerk verfraaien. De kanunnik is geflankeerd door zijn patroon Sint-Joris, die hem aan het kind Jezus voorstelt. Links staat Sint-Donaas gekleed in een brokaten mantel en voorzien van zijn attributen, het met kaarsen volgestoken rad en het aartsbisschoppelijk kruis.

Jan van Eyck schilderde het werk tussen 1434 en 1436. (Groeningemuseum)

To decorate a chapel in St. Donatian's church of which he was a Canon, George van der Paele commissioned Jan van Eyck to paint an altar-piece where he is depicted kneeling before the Madonna, holding his glasses and a prayer book. Beside him, his patron saint in battle armor presents him to the Virgin. One the left of the picture, St. Donatian, richly robed in bro-cade holds his two attributes: the spoked wheel with candles and the Archiepiscopal cross staff.

Jan van Eyck began the altarpiece in 1434 and finished it in 1436. (Groeninge Museum)

Pour orner une chapelle de l'église Saint-Donatien dont il était chanoine, Georges van der Paele commanda à Jean van Eyck un retable où il se fit représenter agenouillé devant la Madone. Il tient en main un livre de prières et ses lunettes. A ses côtés, son saint patron, en armure de combat, le présente à la Vierge. A gauche du tableau, saint Donatien, richement vêtu de brocart, s'est muni de ses deux attributs: la roue aux chandelles et la croix archiépiscopa-le.

Jean van Eyck commenca le retable en 1434 et le termina en 1436. (Musée Groeninge)

Georg van der Paele, Kanonikus an der St.-Donatianskirche, wollte eine Kapelle dieser Kirche schmücken und bestellte darum bei Jan van Eyck das Gemälde, auf dem man ihn mit Gebetbuch und Brille in den Händen vor der Gottesmutter knien sieht. Neben ihm steht sein Schutzpatron in voller Waffenrüstung und stellt ihn der Gottesmutter vor. Links steht, gekenn-zeichnet durch das mit Kerzen besteckte Rad und das erzbischöfliche Kreuz, der hl. Domitian in einem Mantel aus goldglänzendem Brokat.

Jan van Eyck begann das Werk 1434 und voll-endete es zwei Jahre später. (Groeningemuseum)

◁△
Gerard David was van Nederlandse afkomst en werd in 1484 als «vreemde» in het Brugse schildersgild opgenomen. Het duurde niet lang of hij bekleedde belangrijke functies in de stad. «Het Oordeel van Cambyses» is geïnspireerd op een Persisch verhaal overgenomen uit Herodotus. Op het linkerpaneel omgeven hofdignitarissen en krijgers koning Cambyses die de plichtverzakende rechter laat aanhouden. Boven de zetel van de beschuldigde zijn er twee medaillons en staat het jaartal 1498.

Het tweede luik toont op een erg realistische wijze hoe de plichtvergeten rechter bij levenden lijve en in aanwezigheid van koning Cambyses wordt gevild. De schilder legt de nadruk op het contrast tussen de pijn van de gestrafte Sisamnes en de onverschilligheid van de toeschouwers waarvan sommigen rustig blijven keuvelen alsof er niets aan de hand was. (Groeningemuseum)

A native of Holland, Gérard David was entered in the register of the Bruges painter's guild as a *vremde* or foreigner in 1484, but before long he held some important positions in the city. His "Judgment of Cambyses" was inspired by a Persian tale recounted by Herodotus. The left panel shows King Cambyses, surrounded by courtiers and warriors, having the corrupt judge arrested. The chair of the accused is surmounted by two medallions and the date 1498.

The second panel details precisely the terrible punishment of the corrupt judge, flayed alive in the presence of the King. The painter stresses the contrast between the awful pain of the condemned judge and the indifference of the spectators. (Groeninge Museum)

Originaire de Hollande, Gérard David était inscrit, en 1484, comme *vremde* (étranger) dans le registre de la guilde des peintres de Bruges. Mais il ne tarda pas à occuper d'importantes fonctions dans la ville. Pour son «Jugement de Cambyse», il s'est inspiré d'un récit persan repris par Hérodote. Le volet gauche montre le roi Cambyse, entouré de courtisans et de guerriers, qui fait arrêter le juge prévaricateur. Le fauteuil de l'accusé est surmonté des deux médaillons et du millésime 1498.

Le second panneau détaille avec précision le supplice du juge prévaricateur, écorché vif en présence du roi Cambyse. Gérard David souligne l'opposition choquante entre la souffrance atroce du juge Sisamnès et l'indifférence des assistants dont certains bavardent avec un détachement total. (Musée Groeninge)

Der aus Holland stammende Gerard David wurde 1484 als Fremder in das Register der Brügger Malergilde eingetragen. Schon kurze Zeit darauf hatte er wichtige Ämter in der Stadt inne. Im «Urteil des Kambyses» greift er auf eine persische, von Herodot überlieferte Geschichte zurück. Die linke Tafel zeigt den von Höflingen und Kriegern umringten Kambyses, der den bestechlichen Richter gefangen nehmen lässt. Über dem Sitz des Angeklagten sind zwei Medaillons angebracht und steht die Jahreszahl 1498.

Die zweite Tafel zeigt fast peinlich genau die Bestrafung des pflichtvergessenen Richters, der in Anwesenheit des Königs lebend enthäutet wird. Der Maler unterstreicht den Gegensatz zwischen dem grausamen Schmerz, den Sisamnes erdulden muss, und der Gleichgültigkeit der zum Teil völlig teilnahmslos plaudernden Zuschauer. (Groeningemuseum)

△

Volgens sommigen betekent Dijver «diep, heilig water». Verwijst die naam naar een heidense offerplaats in de buurt? Houdt hij verband met de heremiet Everelmus, die er een klui-zenaarsbestaan heeft geleid? De eerste verklaring lijkt ons de beste te zijn.

Wat er ook van zij, in de Middeleeuwen werden er haast nooit bomen in steden geplant en de Dijver werd pas in 1650 beplant.

Le Dijver doit son appellation à un mot étranger signifiant «eau sainte». Est-ce à cause de la proximité d'un antique lieu de culte païen ou parce que l'ermite Everelme y vécut en ana-chorète? La première hypothèse semble la plus vraisemblable.

Au moyen âge, on ne plantait guère d'arbres dans la ville. Les premières plantations du Dijver datent de 1650 seulement.

The Dijver owes its name to a foreign word meaning "holy water". Is this due to the proximity of a former site of a pagan cult or because the hermit Everelme there lived his reclusive life? The first hypothesis seems the most likely.

In the Middle Ages trees were rarely planted in a city. The first plantations on the Dijver date from 1650.

«Dijver» bedeutet vermutlich «heiliges Wasser». Gab es hier eine heidnische Kultstätte oder verdanken Wasser und Ufer dem Einsiedler Everelmus, der hier lebte, ihren Namen? Ersteres ist wahrscheinlicher, doch die Bäume auf dem Ufer wurden erst 1650 angepflanzt; im Mittelalter pflanzte man kaum Bäume in den Städten.

▷

De sjouwers, toen nog pijnders genoemd, lieten in 1421 een kleine kapel met kruis op de Eekhoutbrug oprichten. In 1767 werd die kapel door een standbeeld van Johannes Nepomuk vervangen. In 1795 gooiden de Franse revolutionairen het in de Reie. In 1811 werd er een nieuw standbeeld onthuld en de brug kreeg de naam van Nepomucenusbrug. Op de oever tegenover die brug staat het huis in gotische stijl waarin in de 16de eeuw de Spaanse koopman Juan Perez de Malvenda woonde.

Sur le pont de l'Eekhout, les débardeurs (pijnders) construi-sirent, en 1421, une petite chapelle avec crucifix. Elle fut rem-placée en 1767 par la statue de saint Jean Népomucène. Jetée à l'eau par les révolutionnaires français en 1795, elle fut repla-cée en 1811 et donna son nom au pont, face à la maison d'angle gothique qu'habitait, au XVIe siècle, le marchand espa-gnol Juan Perez de Malvenda.

The stevedores (pijnders) built a little chapel with a crucifix on the Eeckhout bridge in 1421. It was replaced in 1767 by a statue of St. John Nepomuk. Thrown in the water by the French revolutionaries in 1795, it was put back in 1811 and gave its name to the bridge. It faces the Gothic house inhabit-ed in the 16th century by Juan Perez de Malvenda, a Spanish merchant.

Auf der Eekhoutbrücke bauten die Dockarbeiter 1421 eine kleine Kapelle mit Kreuz. 1767 wurde sie durch eine Statue des hl. Nepomuk ersetzt. Nachdem die französischen Revolutio-näre diese 1795 im Wasser versenkt hatten, errichtete man 1811 eine neue und gab der Brücke den Namen des Heiligen. Im Eckhaus der Brücke gegenüber wohnte im 16. Jh. der spanische Kaufmann Juan Perez de Malvenda.

Sedert 1745 draagt de Zoutkaai of Zoutdijk de naam Rozenhoedkaai, een naam die verband houdt met de vele winkels in de buurt die de te Brugge in grote hoeveelheden vervaardigde rozenhoedjes verkochten.

Avant 1745, le Rozenhoedkaai (Quai du Rosaire) s'appelait Zoutkaai (Quai du Sel). Il doit son appellation nouvelle aux commerces de chapelets — spécialité de l'artisanat brugeois — qui s'y trouvaient.

Before 1745 the Rozenhoedkaai (Rosary Wharf) was called Zoutkaai (Salt Wharf). It owes its present name to the shops selling rosaries — a specialty of Bruges craftsmen — that were situated there.

Der Salzkai erhielt 1745 seinen heutigen Namen, der Rosenkranzkai bedeutet, dies in Anspielung auf die vielen Geschäfte in der Nähe, die Rosenkränze — ein Markenartikel, in dem Brügge führend war — verkauften.

△

De Blinde Ezelstraat heeft haar naam te danken aan een herberg met dito uithangbord die op de plaats van de Oude of Civiele Griffie had gestaan. De kunstig uitgewerkte overwelving tussen dit gebouw en het Stadhuis dateert van 1534-1537.

La rue de l'Âne Aveugle doit son nom à une auberge réputée qui portait cette enseigne. Elle disparut au moment de la construction du Greffe civil. Une grâcieuse passerelle (1534-1537) a été établie entre l'hôtel de ville et le Palais du Franc.

The street of the Blind Donkey owes its name to the sign of a wellknown inn which disappeared when the municipal records office was built. A graceful footbridge leads from the Town Hall to the *Brugse Vrije*.

Bevor die Alte Kanzlei gebaut wurde, gab es in der Blinde Ezelstraat ein Wirtshaus, dessen Schild einen blinden Esel zeigte. Das Rathaus und der in die Alte Kanzlei integrierte Palast des Brugse Vrije (Verwaltung der Umgebung Brügges) wurden durch eine anmutige Überwölbung miteinander verbunden.

▷

In 1745 werd de vismarkt, die voordien op het markplein plaatsvond, naar de Braamberg overgeheveld. De nieuwe vishalle met de colonnade van Dorische zuilen is van J.-R. Calloigne (1841). De houten stalletjes werden in 1852 vervangen door visbanken in Ecaussinnessteen.

En 1745, le marché aux poissons qui, jusqu'alors, se tenait grand-place, fut transféré au Braamberg. Le nouveau marché fut construit en 1841, en ordre dorique, d'après les plans de l'architecte Jean-Robert Calloigne. Les étals en bois furent remplacés par des étals en pierre d'Ecaussinnes en 1852.

In 1745 the fish market which was held until then on the Grand-Place was transferred to the Braamberg. A new market was built in 1841 in the Doric order to the plans of the architect Jean-Robert Calloigne. The wooden counters were replaced in 1852 by ones in Ecaussinnes stone.

1745 wurde der Fischmarkt vom Marktplatz zum Braamberg verlegt. Die neue Markthalle mit dorischen Säulen wurde 1841 von J.-R. Calloigne entworfen. 1852 wurden die hölzernen Ladentische durch neue aus Ecaussinnesstein ersetzt.

Langs de Reie, vlak tegenover de Steenhouwersdijk waar vroeger het marmer werd ontscheept, verrijst de zuidergevel van het Landhuis van het Brugse Vrije. De topgevels en torentjes ervan zijn bewaard gebleven. Dit geheel werd rond 1520 door bouwmeester Jan van den Poele opgetrokken en munt uit door een stijlvol lijnenspel. Het werd in 1874 gerestaureerd.

De rococogevels in Brugge vertonen meestal door een sereen klassicisme getemperde vormen. De achtergevel van een in de Hoogstraat gelegen pand (1767) is daar een schoolvoorbeeld van. De gevel staat langs de Reie en maakte vroeger deel uit van het Landhuis van het Brugse Vrije.

Face au Steenhouwersdijk, le quai des Marbriers, les façades à pignons et tourelles du palais du Franc de Bruges donnent sur la rive septentrionale de l'ancien fossé de la ville. Frappant par l'élégance des lignes, elles ont été commencées en 1520 par l'architecte Jean van de Poele. Elles ont été restaurées en 1874.

A Bruges, le style rococo est le plus souvent assagi par un classicisme de bon aloi. De cette combinaison architecturale, la façade arrière d'une maison de la Hoogstraat offre un excellent exemple (1767). Elle donne sur la Reie et faisait partie de l'ensemble des bâtiments du Franc.

The gabled and turreted façade of the *Brugse Vrije*, a sort of County Hall, faces the Steenhouwersdijk and gives on the northern bank of the old city moat. Its strikingly elegant lines were begun in 1520 by the architect Jean van de Poele. It was restored in 1874.

In Bruges the rococo style is often tempered by a certain classicism. The rear of a house on Hoogstraat presents an excellent example of this architectural combination (1767). The house gives on the Reie and was formerly part of the *Brugse Vrije*.

Die Fassaden mit Ziergiebeln und Türmchen des Palasts des *Brugse Vrije* (Umgebung Brügges) liegen am nördlichen Ufer des früheren Grabens der Stadt, dem Steenhouwersdijk gegenüber. An den 1520 von J. van de Poele begonnenen, 1874 restaurierten Gebäuden ist vor allem die elegante Linienführung bemerkenswert.

Der Rokokostil wird in Brügge meist durch geschmackvolle klassizistische Elemente gemildert. Die hintere Fassade eines Hauses in der Hoogstraat zeigt dies beispielhaft. Sie liegt zur Reie hin und war früher in den Palast des Brugse Vrije einbezogen.

△
In het begin van de 19de eeuw deed de empirestijl zijn invloed in enkele panden van de Hoogstraat gelden. Het achthoekig, overkoepeld paviljoen in een langs de Groene rei gelegen tuin heeft er eveneens zijn bijzonder cachet aan te danken en had een inspirerende uitwerking kunnen hebben op een kunstenaar zoals Magritte...

Au début du XIXᵉ siècle, le style Empire s'introduisit à Bruges, notamment dans quelques immeubles de la Hoogstraat. Il donne également un cachet particulier au pavillon octogonal avec coupole, dans le jardin sur la Groene Rei. Un décor qui aurait pu inspirer René Magritte...

A few buildings in the Hoogstraat are in the Empire style, introduced into Bruges in the early 19th century. It gives a certain character to the octagonal pavilion with its cupola found in a garden on the Groene Rei. Such a decor might have inspired Magritte...

Zu Beginn des 19. Jh. setzte sich der Empirestil auch in Brügge durch, u.a. in einigen Häusern der Hoogstraat. Er verleiht auch dem achteckigen, mit einer Kuppel gekrönten Pavillon in einem Garten an der Groene Rei ein bezauberndes Aussehen, das der Inspiration René Magrittes entsprungen sein könnte.

▷
«Door een klimatologisch wonder werkt het ene er in op het ander en een vreemdsoortig scheikundig proces verandert er de lucht, zodat de felle kleuren vervagen en ineenvloeien tot een haast eenkleurige droom.» (G. Rodenbach, *Brugge-de-Dode*)

«Il y a là, par un miracle du climat, une pénétration réciproque, on ne sait quelle chimie de l'atmosphère qui neutralise les couleurs trop vives, les ramène à une unité de songe.» (Georges Rodenbach, *Bruges-la-Morte*)

"There is, by some quirk of the climate, some reciprocal intermingling, some chemistry in the atmosphere which neutralizes garish colours, giving them a dreamlike quality." (Georges Rodenbach, *Bruges-la-Morte*)

«Durch ein Wunder der Witterung wirkt hier eines auf das andere ein; eine unerklärte chemische Verbindung in der Luft saugt die grellen Farben auf und verwebt sie zu einem stimmigen Traumgebilde.» (G. Rodenbach, *Bruges-la-Morte*)

(Volgende dubbele bladzijde)
Onder de Franse bezetting liet de prefect van het "Leie-departement", de huidige provincie West-Vlaanderen, een paleis op de Burg bouwen ter vervanging van de oude bisschoppelijke residentie. Sinds 1830 dient dit klassieke gebouw als officiële residentie van de gouverneur van West-Vlaanderen. De inkomsthal met stucwerk in Lodewijk XVI-stijl werd verrijkt met een indrukwekkende stervormige tegelvloer die, volgens de lokale traditie, uit de Sint-Donaaskerk zou komen, verk   ocht als "nationaal goed" en in 1799 door de Franse bezetter verwoest.

(Next double page)
During the French occupation the prefect of the "Department of the Lys", now the province of West Flanders, had a palace built on the Burg where the residence of the Bishop once stood. Since 1830 the neo-classic building has been the official residence of the Governor of West Flanders. The vestibule with Louis XVI style stucco work has an impressive star-shaped tiled floor which, according to local tradition, came from Saint Donat's church, sold as "national property" and demolished in 1799 by the French occupant.

(Double page suivante)
Sous l'occupation française, le préfet du «département de la Lys» — l'actuelle province de Flandre Occidentale — se fit édifier un palais au Burg à l'emplacement de l'ancienne résidence de l'évêque. Depuis 1830, le bâtiment classique est la résidence officielle du gouverneur de la Flandre Occidentale. Le vestibule aux stucs de style Louis XVI est doté d'un impressionnant dallage disposé en étoile qui, selon la tradition locale, proviendrait de l'église Saint-Donat, vendue comme «bien national» et démolie en 1799 par l'occupant français.

(Folgende Doppelseite)
Unter der französischen Besatzung ließ sich der Präfekt des «Leiedepartements», der heutigen Provinz West-Flandern, einen Palast auf der Burg an der Stelle der ehemaligen Bischofsresidenz bauen. Seit 1830 ist dieses klassische Gebäude offizielle Residenz des Gouverneurs von West-Flandern. Der Boden der mit Stuckwerk verzierten Eingangshalle im Louis-seize-Stil ist mit eindrucksvollen sternförmigen Fliesen ausgelegt, die angeblich laut lokaler Überlieferung aus der Kirche Sint-Donaas stammen, einem Gotteshaus, das als «Nationaleigentum» verkauft und 1799 von den französischen Besatzungstruppen zerstört worden ist.

(Vorige dubbele bladzijde)
Het Burgplein was in het bezit van de graaf van Vlaanderen, die er een steen had met ambtenaren die er verbleven. Nu is het met bomen beplante plein als het ware gericht op het stadhuis, waarvan de eerstesteenlegging in 1376 in aanwezigheid van Lodewijk van Male plaatsgreep. Rechts staat de tussen 1128 en 1145 opgerichte Heilig-Bloedkapel, de huiskapel der graven van Vlaanderen, links van het stadhuis de door Jan Mone ontworpen overgangsgevel van de Oude Griffie.

(Double page précédente)
Comme l'indique son nom, la place du Burg — *le château* — était à l'origine la terre du comte de Flandre. Il y avait son *steen* et ses fonctionnaires y étaient établis. Agréablement arborée, la place est aujourd'hui centrée sur l'hôtel de ville dont la première pierre fut posée par Louis de Male en 1376. A droite, la chapelle du Saint-Sang, fondée entre 1128 et 1149, servait d'oratoire aux comtes de Flandre. A gauche, Jean Mone a posé la façade de transition de l'ancien Greffe civil.

(Preceeding two pages)
As indicated by its name of *Burg*, the square was part of the land belonging to the Count of Flanders. There he had his *steen*, or castle, and his administration. Today the pleasantly treed square centers on the Town Hall whose first stone was laid by Louis de Male in 1376. On the right, the chapel of the Holy Blood (1128-49) served as the Oratory of the Counts of Flanders. On the left, the Transitional façade of the old Municipal Registry was built by Jean Mone.

(Vorige Doppelseite)
Wie das Wort «Burg» im Namen andeutet, gehörte der Burgplatz dem Grafen von Flandern, dessen Burg hier stand und dessen Beamten hier wohnten. Heute ist der Platz mit seinen schattigen Bäumen auf das Rathaus hin ausgerichtet, zu dem Graf Ludwig van Male 1376 den Grundstein legte. Die Heiligblutkapelle wurde zwischen 1128 und 1149 als Schlosskapelle der Grafen von Flandern gebaut. Der zur Alten Kanzlei überleitende Giebel links vom Rathaus ist von J. Mone.

(Blz. 82 tot 85)
De 16 consoles langs de muren van de Gotische Zaal van het Stadhuis brengen diverse motieven in beeld.

De schepenzaal of Gotische Zaal op de eerste verdieping van het Stadhuis is even oud als het Stadhuis zelf. Het gewelf en de hangende «sluitstenen» dagtekenen van 1402, de beschilderde en vergulde gewelfsleutels met heiligen en bijbelse taferelen, o.a. het doopsel van Christus in de Jordaan, ontstonden kort daarna. In 1895 schilderde Albrecht de Vriendt het eerste van de twaalf grote taferelen over Brugges verleden op de muur.

(Pages 82 à 85)
Les seize consoles de la Salle des échevins de l'hôtel de ville représentent des scénes diverses.

A l'étage de l'hôtel de ville, la grande salle dite des échevins fait partie de la construction primitive. Sa voûte à pendentifs et bardeaux date de 1402 et précède de peu la peinture et la dorure des clefs de voûte représentant des saints et des sujets empruntés à la Bible, notamment le baptême dans les eaux du Jourdain. Douze grandes peintures murales décorent la salle. Albrecht de Vriendt les commença en 1895. Elles illustrent les grands moments de l'histoire de la ville.

(Pages 82 to 85)
The sixteen consoles in the Aldermen's Chamber in the Town Hall portray various scenes.

On the upper floor of the Town Hall the large room called the "Aldermen's Chamber" is part of the original building. The timbered vaulting with pendant bosses dates from 1402 and preceded by little the painting and gilding of the keystones representing saints and biblical subjects; notable is the baptism in the Jordan river. Twelve large murals representing great moments in the city's history decorate the chamber. Albrecht de Vriendt began them in 1895.

(S. 82 bis 85)
Das zweite Stockwerk des Rathauses mit dem Schöffen- oder gotischen Saal entstand in derselben Bauphase wie das Erdgeschoss. Das Gewölbe mit Hängespitzbögen wurde 1402 vollendet, die Bemalung und Vergoldung der heilige und biblische Szenen, u.a. die Taufe Jesu im Jordan, darstellenden Abschlüsse etwas später. An die Wände malte A. De Vriendt die Sternstunden der Geschichte Brügges. Er begann 1895.

◁

De Oude Griffie (1534-1537), ook Civiele Griffie genoemd, laat een indruk van volmaakt evenwicht en zuivere harmonie achter. Alleen de schikking van de drie topgevels herinnert aan het gotische vertikalisme en afgezien van de kleine poort en de vensterkruisen is hier alles in pure renaissancestijl: Corinthische zuilen waarvan de voet met arabesken is versierd, afsluiting door middel van friezen, antiek aandoende medaillons. Het geheel was oorspronkelijk verguld en gepolychromeerd.

Merveille d'équilibre et d'harmonie, le Greffe Civil (1534-1537) n'a gardé de la verticalité gothique que la disposition des trois pignons. Tout le reste — hormis le petit porche d'entrée et les fenêtres à croisées — est du plus pur style Renaissance: ordre corinthien des colonnes dont la base est ornée d'arabesques, bordure par des frises, médaillons à l'antique. A l'origine, l'ensemble était tout doré et polychrome.

The only vestige of Gothic verticality in the municipal records office building (1534-37) is the placement of the three gables. All the rest, except for the little entry porch and the mullioned windows, is in a pure Renaissance style: Corinthian columns with arabesque ornamented bases, friezes and antique medaillons. The original ensemble was gilded and polychromed.

In der sehr harmonisch gestalteten Fassade der Alten Kanzlei (1534-1537) erinnert nur noch die Anordnung der drei Giebeldreiecke an den gotischen Vertikalismus. Sieht man von der kleinen Pforte und von dem Stabwerk der Fenster ab, dann bleibt nur reiner Renaissancestil übrig: korinthische Säulen, deren Füße mit Arabesken geschmückt sind, Verwendung von Friesen als Gliederungsmittel, antike Medaillons. Die Fassade war ursprünglich polychrom und teilweise vergoldet.

◁△

In het Landhuis van het Brugse Vrije werd de schouw in de schepenzaal tussen 1529 tot 1531 naar de plannen van Lanceloot Blondeel gebouwd. Middenin het voorgebouw wordt Keizer Karel weergegeven. De bas-reliëfs van het fries zijn omringd met liefelijke albasten engeltjes, gebeeldhouwd door Guyot de Beaugrant. Aan de rand van de schoorsteenmantel hangen koperen gecisileerde ringen. Zo konden de schepenen zich recht houden terwijl ze hun natte laarzen voor het haardvuur droogden.

Dans le palais du Franc de Bruges, la cheminée de la salle des Echevins fut réalisée de 1529 à 1531 sous la direction de Lancelot Blondeel qui l'avait dessinée. Charles Quint est représenté au centre de l'avant-corps. Les bas-reliefs de la frise sont entourés d'adorables angelots en albâtre, sculptés par Guyot de Beaugrant. Au chanfrein du manteau, les anneaux en cuivre ciselé permettaient aux échevins de se tenir debout lorsqu'ils présentaient leurs bottes mouillées devant les flammes.

The fireplace in the Aldermen's Hall in the Palace of the Brugse Vrije was constructed between 1529 and 1531 under the supervision of Laurent Blondeel, the designer. In the centre of the projecting part stands Charles the Fifth. The low reliefs of the frieze are surrounded by adorable alabaster cherubs sculpted by Guyot de Beaugrant. Chiselled copper rings on the chamfered edge of the mantle helped the aldermen to keep their balance while extending their damp boots to the flames of the hearth.

Der Kamin im Schöffensaal des Brügger Freiamts wurde zwischen 1529 und 1531 nach Plänen des Malers Lancelot Blondeel erbaut. In der Mitte des Kaminvorbaus ist Karl V. dargestellt. Die Flachreliefe auf dem Fries sind von lieblichen kleinen Engeln aus Alabaster umgeben, die von Guyot de Beaugrant geschaffen worden sind. Am Rand der Kamineinfassung befanden sich vormals ziselierte Kupferringe, an denen sich die Schöffen festhalten konnten, während sie ihre nassen Stiefel vom Kaminfeuer trocknen ließen

◁△

In het begin van de Middeleeuwen waren er in heel West-Europa kerken met een dubbele verdieping. Dankzij deze bouwwijze beschikte de vorstelijke hofhouding over een aparte kerkruimte zodat ze niet in de menigte opging. Oorspronkelijk was de bovenkerk even lang als de St.-Basiliuskapel eronder. In de loop van de 16de eeuw werd de absis tot aan het stadhuis uitgebouwd en in de 17de eeuw voegde men er een trap voor de stadsmagistraat aan toe. Na de Franse bezetting werd het interieur in de toen modieuze neogotische stijl gerestaureerd.

(Hierboven)

Het smalle gebouw vlak naast de trap die naar de H. Bloedkapel leidt, lijkt eerder uitnodigend dan streng, alhoewel het eerst als griffie van het college voor strafzaken moest dienen. Aan de flamboyante gotiek (1529) zijn heel wat renaissanceornamenten o.a. zuiltjes en medaillons toegevoegd.

(Volgende dubbele bladzijde)

De benedenkapel van de basiliek van het Heilig-Bloed werd gebouwd in opdracht van graaf Diederik van de Elzas en zijn vrouw Sybille tussen 1339 en 1349. Ze droegen de kerk op aan Onze Lieve Vrouw en aan de Heilige Basilius, van welke Oosterse kerkleraar Robrecht de Fries uit Palestina relieken meenam. Het robuust gewelf van dit romaans gebouw rust op massieve zuilen.

Churches constructed on two levels were common in Western Europe at the beginning of the Middle Ages, the purpose being to separate the court from the mass of common worshippers. The upper chapel of the Holy Blood was originally the same length as St. Basil's chapel. The apse was lengthened as far as the Town Hall during the 16th century. In the following century a private staircase was built for the City Magistrate. After the French occupation the interior had to be restored, which was done in the then fashionable Gothic Revival.

(Above)

Although it was intended to house the criminal records office, the little building next to the staircase of the Chapel of the Holy Blood gives an impression of charm rather than severity. In Late Gothic (1529), it is embellished with small columns and Renaissance style medallions.

(Next double page)

The lower chapel of the Holy Blood basilica was built between 1339 and 1349 by command of Count Thierry of Alsace and his wife Sybil. They dedicated it to the Virgin and to Saint Basil, Bishop of Cæsarea, whose relics were brought from Palestine by Robert II the Frisian. The sturdy vault of the Romanesque edifice stands on squat columns.

L'usage de construire des églises à deux niveaux est commun à toute l'Europe occidentale, au début du moyen âge. Il s'agissait de séparer la cour princière et le peuple des fidèles. A l'origine, la basilique supérieure du Saint-Sang avait la même longueur que la chapelle Saint-Basile. L'abside fut allongée jusqu'à l'hôtel de ville, au cours du XVIᵉ siècle. Au siècle suivant, on construisit un escalier à l'usage du Magistrat de la ville. Après l'occupation française, une restauration intérieure s'imposait. Elle se fit dans le néogothique à la mode.

(Ci-dessus)

Bien qu'il fût destiné au Greffe Criminel, le petit édifice qui voisine l'escalier de la chapelle du Saint-Sang donne une impression de charme plutôt que de sévérité. Son gothique tardif (1529) s'enrichit de colonnettes et de médaillons de style Renaissance.

(Double page suivante)

Construite entre 1339 et 1349 sur l'ordre du comte Thierry d'Alsace et de sa femme Sybille, la chapelle inférieure de la basilique du Saint-Sang fut dédiée à la Vierge et à saint Basile, évêque de Césarée dont Robert II le Frison avait rapporté les reliques de Palestine. La robuste voûte de l'édifice roman repose sur des colonnes trapues.

Zu Beginn des Mittelalters gab es Doppelkirchen in ganz Westeuropa. Die untere Kirche war für die gewöhnlichen Gläubigen bestimmt, der obere Teil für den Herrscher und seinen Hof. Ursprünglich war das Obergeschoss, d.h. die eigentliche Heiligblutkapelle, ebenso lang wie die St. Basiliuskapelle darunter. Im 16. Jh. baute man die Apsis aus und verlängerte sie bis zum Rathaus. Im 17. Jh. kam die anfänglich nur für den Stadtmagistrat bestimmte Treppe hinzu. Nach der Besetzung durch die Franzosen musste die Kirche restauriert werden. Dem damals vorherrschenden Geschmack entsprechend erfolgte diese Renovierung in neugotischem Geiste.

(Oben)

Die Fassade der ehemaligen Strafgerichtskanzlei, die sich neben der in die Heiligblutkapelle führenden Treppe befindet, lässt die ursprüngliche Funktion des Gebäudes kaum vermuten. Auf dem spätgotischen Giebel (1529) wurden schlanke Säulchen und für die Renaissance typische Medaillons angebracht.

(Folgende Doppelseite)

Die untere Kapelle der Heiligblutbasilika wurde zwischen 1339 und 1349 auf Geheiß des Grafen Dietrich von Elsass und seiner Frau Sybille erbaut. Sie widmeten die Kirche der Gottesmutter und dem heiligen Basilius, Bischof von Cäsarea, dessen Reliquien Robert der Friese aus Palästina mitgebracht hatte. Das robuste Gewölbe des romanischen Gebäudes ruht auf wuchtigen Säulen.

Zeker al in de 13de eeuw herdenken de Bruggelingen de terugkeer naar Vlaanderen van Diederik van de Elzas, kruisvaarder en graaf, door een indrukwekkende en ontroerende processie op de tweede maandag in mei. Als een lang lint van felle kleuren trekken groepen van vrijwillige acteurs door de straten en vertolken de geschiedenis der mensheid die door het Heilig Bloed werd vrijgekocht en verlost. De aankomst van de rijve van het H. Bloed, dit schitterende meesterwerk, dat de Brugse edelsmid Jan Crabbe in 1614-1617 schiep, vormt het hoogtepunt van deze processie.

Depuis le XIIIᵉ siècle au moins, les Brugeois commémorent le retour en Flandre du comte-croisé Thierry d'Alsace par la spectaculaire et saisissante procession du Saint-Sang, le jour de l'Ascension. En un long ruban aux couleurs vives, des groupes d'acteurs bénévoles racontent à la foule l'histoire du genre humain et de son rachat par le sang du Christ. L'apothéose en est l'arrivée de la châsse du Saint-Sang, magnifique pièce d'orfèvrerie exécutée de 1614 à 1617 par le Brugeois Jean Crabbe.

From as early as the 13th century the people of Bruges have commemorated the return to Flanders of the Crusader-Count Thierry of Alsace by a spectacular and moving procession on the second Monday of May. In a long, colorful cavalcade, groups of volunteer actors recount the history of mankind and its redemption by the blood of Christ to the crowd. The high point is the arrival of the reliquary of the Holy Blood, a magnificent piece of metalwork made by Jan Crabbe of Bruges between 1614 and 1617.

Seit dem 13. Jh. gedenken die Brügger der Rückkehr ihres Grafen und Kreuzritters Dietrich vom Elsass aus dem Heiligen Land in einer farbenreichen, eindrucksvollen Prozession, die am zweiten Sonntag im Mai durch die Stadt zieht. Gruppenweise wandern freiwillige Schauspieler in greller Kleidung durch die Straßen und stellen die Geschichte der Menschheit bis zu ihrer Erlösung durch das Blut Christi dar. Den Höhepunkt bildet die Ankunft des prächtigen Schreins mit dem hl. Blut, den der Brügger Edelschmied Jan Crabbe 1614-1617 schuf.

▷ Toen Münzer in de 15de eeuw Brugge van boven op het Belfort zag, was hij enthousiast. Hij bewonderde de stadsaanleg en de spreiding van de bouwwerken. Zoals hij zien wij hier de gevels van de Oude Burg, die om de toren van de O.-L.-Vrouwekerk zijn geschaard.

Au XVᵉ siècle, Münzer aima découvrir Bruges du haut du beffroi. Il en apprécia ainsi la structure urbaine et l'implantation des monuments. En l'imitant aujourd'hui on voit les pignons de la rue Oude Burg qui font escorte à la tour de l'église Notre-Dame.

In the 15th century Münzer liked to contemplate Bruges from the top of the belfry, so that he could study the urban layout and the siting of the monuments. When doing the same today, one sees the gables in the Oude Burg which seem to form an escort for the tower of Our Lady's church.

Als Münzer im 15. Jh. den Belfried bestiegen hatte und Brügge von oben sah, bewunderte er die städtebauliche Raumplanung und die Streuung der Bauwerke. Wie er sehen wir die Giebel der Oude Burg, die sich um den Turm der Liebfrauenkirche scharen.

◁ Twee huizen in de Oude Burg tonen aan hoe de renaissance-architectuur is geëvolueerd: het huis nr. 24 *(rechts)* genaamd De Olifant en het erg italianiserende, trouwens veel later gebouwde huis nr. 33 *(links)*. In dit laatste zijn vanaf de eerste verdieping alle ingrediënten van de laatrenaissancistische stijl aanwezig: driehoekige, dan afgeronde frontons boven de ramen, twee medaillons met mythologische figuren ter hoogte van de tweede verdieping en aan weerszijden van de topgevel weinig opdringe-rige voluten die de barokstijl aankondigen.

Dans la rue Oude Burg, deux maisons jalonnent l'évolution architecturale de l'esprit de la Renaissance. Celle du 24 *(à droite)*, dite *De Olifant*, et celle du 33 *(à gauche)*, d'ailleurs plus tardive, franchement italianisante. A cette dernière rien ne manque à partir du premier étage. Les frontons triangulaires puis arrondis couronnent les fenêtres. Au deuxième étage, deux médaillons représentent des personnages mythologiques. De discrètes volutes flanquent le pignon et annoncent un décor baroque.

On the Oude Burg street two houses trace the architectural evolution of the Renaissance style, that of number 24 *(right)* called *De Olifant* and that of number 33 *(left)*, considerably later and definitely Italianate. Nothing is lacking, right from the first storey where triangular, then curved, pediments crown the windows. On the second storey two medallions portray mythological figures. Restrained volutes flank the gables, foreshadowing the baroque style.

In der Oude Burg (alten Burg) Straße kann man an zwei Häusern sehen, wie sich der Renaissancestil entwickelt hat. Es sind De Olifant (Nr. 24, *rechts*) und das später in italianisierendem Stil gebaute Haus Nr. 33 *(links)*. In De Olifant sind die Fenster der ersten Etage mit Giebeldreieckchen gekrönt. Eine Etage höher sind in Medaillons mythologische Gestalten dargestellt. Oben kündet noch verhaltenes Schweifwerk das Barockzeitalter an.

▷ Het 83 m hoge Belfort steekt nog altijd boven Brugge uit zoals in de Middeleeuwen. Zoals de donjon van de leenheer dien-de het als uitkijkpost. De wachters woonden er en hielden de vier windstreken in de gaten om tijdig brandalarm te blazen en om desgevallend en zo spoedig mogelijk het naderen van krijgsvolk te melden of van al wie van verdacht allooi leek te zijn.

Comme au moyen âge, le beffroi domine la ville de ses 83 mètres de hauteur. A l'instar du donjon du seigneur, il servait au guet. Les veilleurs y habitaient et observaient les quatre points cardinaux pour voir s'il ne se déclarait pas quelque début d'in-cendie, si des soldats s'approchaient de la ville et, en général, si quelque chose de suspect était aperçu dans les environs.

As in the Middle Ages, the 83 meter belfry dominates the city. It served as a watchtower, as did the lord's keep. The lookouts lodged there and observed the four cardinal points to see if a fire was breaking out, if soldiers were approaching or, in general, if anything else was to be seen in the region.

Der 83 m hohe Belfried überragt Brügge heute wie im Mittelalter. Wie die Bergfriede der Burgen hatte er eine militärische Funktion. Oben wohnten Wächter, die in alle Richtungen spähten, Feueralarm schlugen und das Herannahen von Truppen sowie von allem, was irgendwie Misstrauen erregen konnte, meldeten.

Het recht om een belfort te bouwen getuigt van de vrijheidsdrang van de middeleeuwse stadsgemeenten. Het belfort is het zichtbare, triomfantelijke symbool van een macht die niet meer voor de leenheer terugdeinst en hem zelfs durft te tarten. Het belfort van Brugge bestaat uit drie delen. Net zoals de ruime Hallen *(rechterbladzijde)*, die er de basis voor vormen, dateert de onderste, imposante, donjonachtige geleding van 1282. De tweede geleding met de vier hoektorentjes werd in de veertiende eeuw gebouwd, de achtkantige bovenbouw in 1484-1487.

(Hierboven)

Reeds rond 1350 stond er boven de toegangspoort van de Hallen een madonnabeeld in een nis. Twee eeuwen later ontwierp Lanceloot Blondeel een nieuwe nis met standbeeld. In maart 1794 ten tijde van het Franse Bewind werd de Madonna door de revolutionairen weggehaald en verbrijzeld. Het huidige standbeeld is afkomstig uit het Gruuthuse-paleis.

The right to have a belfry was part of the general desire for independence of the mediæval communes. A belfry was a visible and triumphant symbol of powers that wished to equal, if not rival, the local lord. The belfry of Bruges consists of three parts. The massive base, resembling a keep, dates from 1282 and crowns the great rectangular Cloth Hall *(right page)* built at the same time. The central storey and the four turrets are of the 14th century. The octagonal summit was built between 1484-87.

(Above)

In the middle of the 14th century there was already a statue of the Virgin sitting in a niche above the doors of the Cloth Hall. Two hundred years later Lancelot Bondeel designed a projected new niche with a statue. However, in March 1794, revolutionaries in a destructive fury broke the Madonna who was replaced by a statue from the Gruuthuse Museum.

Le droit de construire un beffroi s'inscrit dans la volonté d'indépendance des communes médiévales : le beffroi apparaît comme le témoin visible et triomphant d'une puissance qui se veut égale, sinon rivale du seigneur local. Celui de Bruges se compose de trois parties. La base massive, en forme de donjon, date de 1282 et couronne les grandes halles rectangulaires *(page de droite)*, édifiées au même moment. L'étage central et les quatre tourelles appartiennent au XIVᵉ siècle. Quant au sommet de plan octogonal, il fut construit en 1484-1487.

(Ci-dessus)

Au milieu du XIVᵉ siècle déjà, une statue de la Vierge se trouvait nichée au-dessus du portail des halles. Deux cents ans plus tard, Lancelot Blondeel dessina un projet pour une nouvelle niche avec statue. Mais, en mars 1794, dans leur folie destructrice, les révolutionnaires brisèrent la Madone. Celle d'aujourd'hui est émigrée du musée Gruuthuse.

Das Recht, einen Belfried zu bauen, spiegelt das Streben nach Unabhängigkeit der mittelalterlichen Stadt-gemeinden wider. Dabei war der Belfried ein viel sichtbareres Zeichen siegreicher Macht, die sich als der des Lehnsherrn ebenbürtig empfand oder sich ihr gar widersetzte. Der Belfried von Brügge besteht aus drei Teilen. Der unterste ist "bergfriedartig" und erhebt sich seit 1282 über dem Rechteck der gleichzeitig gebauten Hallen *(rechte Seite)*. Das mittlere Stockwerk mit den vier Türmchen kam im 14. Jh. hinzu. 1484-1487 entstand der obere, achteckige Teil.

(Oben)

Bereits im 14. Jh. stand eine Statue der Gottesmutter in der Nische über dem Portal der eigentlichen Hallen. Zwei Jahrhunderte später entwarf L. Blondeel eine neue Nische mit Statue. Im März 1794 zertrümmerten die Revolutionäre die Statue in ihrer Zerstörungswut, so dass heute ein Standbild aus dem Gruuthusemuseum deren Platz einnimmt.

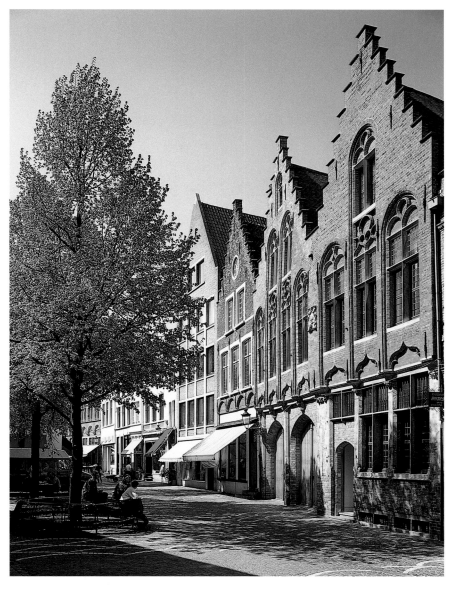

◁▽

Het huis Boechoute (1480) op de linkerhoek van de St.-Amandstraat en de Markt heeft een bakstenen siergevel die aan weerszijden met witte stenen is afgezet.

In het huis Cranenburg op de rechterhoek werd Maximiliaan van Oostenrijk vanaf 5 februari 1488 elf weken lang vastgehouden door de opstandige Bruggelingen, die hun privileges bedreigd achtten.

Au coin de la grand-place et de la Sint-Amandstraat, la façade-écran de la maison Bouchoute (1830) est, bien sûr, en brique mais la pierre blanche a été utilisée aux angles.

En face de celle-ci, au Cranenburg, fut incarcéré Maximilien d'Autriche, le 5 février 1488, à la suite d'une révolte des Brugeois craignant pour leurs privilèges.

Situated at the corner of the Main Square and St. Amand Street, the curtain wall façade of the Bouchoute house (1480) is in brick, of course, though white stone has been used at the corners.

Maximilian of Austria was imprisoned in the Cranenburg across the street on February 5, 1488 following a revolt by the people of Bruges who feared losing their liberties.

An der Ecke des Marktplatzes und der St.-Amandstraße steht Haus Bouchoute, dessen Ziergiebel mit einer Borte aus weißem Haustein abgesetzt ist.

An der Ecke gegenüber steht Haus Cranenburg, in dem die um ihre Privilegien besorgten Brügger Maximilian von Österreich nach ihrem Aufstand vom 5. Februar 1488 einkerkerten.

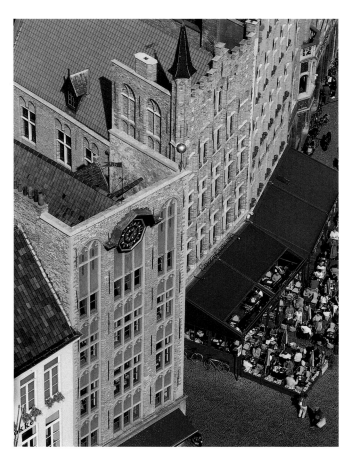

△

In de St.-Amandstraat, waar eertijds de markt voor geneeskrachtige kruiden werd gehouden, is men er bij de restauratie van twee huizen uit de 16de eeuw in geslaagd de schoonheid van de lichtjes uitkragende verdiepingen goed te doen uitkomen. De versiering van de accoladebogen begint bij de steunpilaar in het midden met Ionische of eivormige kapitelen. Deze ornamentatie, hoe andersoortig ze ook weze, doet geenszins afbreuk aan de gotische structuur die tot aan de geveltop zichtbaar blijft.

Dans la rue Saint-Amand où se tenait le marché aux herbes médicinales, une habile restauration a restitué à deux façades du XVIᵉ siècle la beauté de leurs étages en léger encorbellement. Le décor des arcs en accolade part des trumeaux qui reposent sur des chapitaux oves ou ioniques. Mais ces concessions au style nouveau n'entravent pas la structure gothique qui persiste jusqu'aux pignons à gradins.

In St. Amand Street where a medicinal herb market was formerly held, skilful restoration has renewed the beauty of two 16th century façades with their gently corbelled storeys. Double-curved arches spring from the trumeaus which rest on oviform or Ionic capitals. These new stylistic elements do not spoil the basic Gothic structures which retain their step gables.

In der St.-Amandstr., in der der Markt für Heilkräuter stattfand, wurden u. a. zwei Giebel mit leicht vorragenden Stockwerken sehr fachgerecht restauriert. Die eselsrückenförmigen Bögen ruhen teils auf ionischen, teils auf eiförmigen Kapitellen. Trotz der Zugeständnisse, die man an den neuen Stil zu machen gewillt war, setzte sich die gotische Vorlage noch bis in den Treppengiebel durch.

De noordkant van het markt-
plein tegenover het Belfort onderg-
ging in 1786 diepgaande verande-
ringen, waarbij de huizen uit de
17de en de 18de eeuw gelukkig
onaangetast bleven. Een daarvan
was het ambachtshuis van de
tegeldekkers, vroeger het Rode
Huis, nu de Gouden Mand
genoemd, dat in 1686 was herbouwd. De Drie Meunycken is het
in 1621-1622 herbouwde ambachtshuis van de vrije visverko-
pers. Tot in 1745 werd de vismarkt
vlak in de buurt voor «La Civière
d'Or» gehouden.

Face au beffroi, le côté septen-
trional de la grand-place a subi de
profondes modifications en 1786.
Fort heureusement, les maisons
des XVIIᵉ et XIIIᵉ siècles furent sau-
vegardées. Parmi elles, le *Panier
d'Or*, rebâtie vers 1686. C'était la
maison des couvreurs. Les pois-
sonniers, eux, occupaient la maison nommée *Drie Meunycken* qui
fut reconstruite en 1621-1622.
Jusqu'en 1745, le marché aux
poissons se tenait devant cette
demeure appelée aujourd'hui la
Civière d'Or.

The north side of the Grand-
Place, across from the belfry, was
largely rebuilt in 1786 but, lucki-
ly, some 17th and 18th century
houses were preserved. Among
them is The *Golden Basket*, rebuilt
around 1686. It was the roofer's
guild house. The fishmongers
occupied the house called *Drie
Meunycken*, rebuilt in 1621-22.
Until 1745 the fish market was
held before this house now called
the *Golden Stretcher.*

Die dem Belfried gegenüberlie-
gende, nördliche Seite des
Marktplatzes wurde 1787 umgebaut, ohne dass die Häuser aus
dem 17. und 18. Jh. von diesem
tiefgreifenden Wandel erfasst wurden. Das 1686 wieder aufgebaute
Zunfthaus der Dachdecker heißt
jetzt «Le Panier d'Or». «De Drie
Meunycken» (Drei Mönche),
gebaut 1621-1622, war das Gilde-
haus der Fischhändler, denn bis
1745 fand der Fischmarkt ganz in
der Nähe vor dem heutigen
Gasthaus «La Civière d'Or» statt.

De Sint-Salvatorskathedraal werd viermaal door brand verwoest en 1585 nog eens vernield door de beeldenstormers. Zij werd dan ook meerdere malen heropgebouwd en gerestaureerd. In de 19de eeuw kreeg haar toren zelfs een neoromaanse bekroning. Haar bewerkte poorten geven uit op het schip waarvan de hoogte sterk aan de Franse gotiek doet denken.
(Rechts)
De echt Romaanse onderbouw van de monumentale westertoren van de St.-Salvatorkerk (sinds 1834 kathedraal) maakt nu deel uit van een na 1250 gebouwde kerk die de triomftocht van de Franse gotiek in Vlaanderen inluidt. Men begon toen met het gotische koor; het kerkschip en het transept werden pas later opgetrokken.
(Volgende dubbele bladzijde)
Bovenop de mooie vijftiende-eeuwse koorstoelen staan de blazoenen van de ridders van het Dertiende Kapittel van het Gulden Vlies, dat hier op 30 april 1478 doorging. De Brusselse wandtapijten dateren van 1731 en zijn gemaakt naar de tekeningen van Jan van Orley. Doeken die model stonden hangen aan het transept, onder de 19de eeuwse ramen.

The cathedral of the Holy Saviour, devastated by fire four times and sacked by the Iconoclasts in 1585, has often been restored and remodelled as in the 19th century when a neo-Romanesque capping was added to the tower. The heavily worked doors open on the nave whose height was inspired by French Gothic.
(Right)
The Romanesque portion of the imposing tower of Holy Saviour cathedral has been integrated into the edifice built in the second half of the 13th century in the French Gothic style, newly introduced into Flanders. The work began with the chevet followed by the nave and transept.
(Next double page)
Above the handsome 15th choir stalls are placed the armorial bearings of the knights of the Golden Fleece who held their 13th chapter in Holy Saviour on April 30th, 1478. The Brussels tapestries were made in 1731 following cartoons by Jan van Orley. Paintings which he used as models hang in the transept beneath the 19th century stained glass windows.

Quatre fois ravagée par le feu, dévastée par les iconoclastes en 1585, la cathédrale Saint-Sauveur fut souvent restaurée et remaniée; le XIXᵉ siècle donna même à sa tour un couronnement néo-roman. Ses portes ouvragées ouvrent sur la nef dont l'élancement est inspiré du gothique français
(A droite)
La partie romane de l'imposante tour de la cathédrale Saint-Sauveur a été intégrée dans l'édifice construit à partir de la seconde moitié du XIIIᵉ siècle dans le style gothique français introduit en Flandre. Les travaux commencèrent par le chevet et se poursuivirent par la nef et le transept.
(Double page suivante)
Dans le chœur, au-dessus des belles stalles du XVᵉ siècle, on a placé les blasons des chevaliers du XIIIe chapitre de la Toison d'Or qui s'est tenu à Saint-Sauveur le 30 avril 1478. Les tapisseries de Bruxelles ont été exécutées en 1731 d'après les cartons de Jan van Orley, dont des toiles qui servirent de modèle sont accrochées dans le transept, sous les vitraux du XIXᵉ siècle.

Die Kathedrale St. Salvator wurde vier Mal vom Feuer verwüstet und im Jahre 1585 von den Bilderstürmern zerstört. Sie wurde oft wieder aufgebaut und renoviert. Im 19. Jd. erhielt ihr Turm gar eine neoromanische Spitze. Durch kunstvoll gearbeitete Türen gelangt man ins Kirchenschiff, das mit seiner beeindruckenden Höhe stark an die französische Gotik erinnert.
(Rechte Seite)
Der untere, wirklich romanische Teil des wuchtigen Turms der St. Salvatorkirche ist in ein nach 1250 entstandenes Gotteshaus eingegliedert, das den Einzug der französischen Gotik in Flandern anzeigt. Zuerst baute man die Apsis, dann das Langhaus und das Querschiff.
(Folgende Doppelseite)
Die Rückwände der wunderschönen Chorstühle aus dem 15. Jd. sind mit den Wappen der Ritter des 13. Kapitels des Goldenen Vlies, das hier am 30. April 1478 stattgefunden hatte, geschmückt. Die Brüsseler Wandteppiche wurden 1731 nach den Zeichnungen von Jan van Orley angefertigt. Die Gemälde, die als Modell dienten, hängen im Querschiff unter den Fenstern aus dem 19. Jd.

△
Pieter Pourbus, die zijn hele leven (1524-1584) in Brugge doorbracht, behoorde er tot de notabelen. Hij was niet alleen gewaardeerd als schildermeester, maar ook als bouwkundige en kartograaf. Zijn grote doeken zijn in italianiserende stijl geschilderd. Zijn portretten van rijke poorters daarentegen zijn veel nauwkeuriger. In overeenstemming met zijn opdrachtgevers, die er hun woonkamers mee verfraaiden, suggereerde hij de welgesteldheid van zijn modellen zonder ook maar het minste zweempje van dikdoenerij.

De jonggehuwden Jan van Eyewerve en Jacquemijne Buuck staan aan weerszijden van een venster dat op het Kraanplein en het huis De Haene uitkijkt, d.w.z. op de wijk waar de ouders van de pas getrouwde echtgenoot, rijke groothandelaars, woonden. (Groeningemuseum)

Peter Pourbus (1524-84) was a prominent citizen of Bruges where he worked all his life, appreciated not only for his painting but for his knowledge of engineering and cartography. Although his large works were Italianate he employed a more restrained style in the portraits commissioned by wealthy burghers for their homes.

The newly wed couple, Jan van Eyewerve and Jacquemijne Buuck stand on either side of a window giving a view on the Crane Square and the De Haene house. This was the quarter where the groom's parents, wholesale merchants, lived. (Groeninge Museum)

A Bruges où il œuvra durant toute sa vie (1524-1584), Pierre Pourbus était un notable, apprécié pour sa peinture mais aussi pour ses connaissances d'ingénieur et de cartographe. Italianisant dans ses grandes œuvres, il garda dans ses portraits de bourgeois un style plus rigoureux, évoquant la richesse de ses modèles avec une grande économie de moyens. Ainsi le voulaient ceux qui les lui commandaient pour leurs salons.

Mariés depuis peu, les époux Jean van Eyewerve et Jacquemijne Buuck se tiennent de chaque côté d'une fenêtre. Celle-ci offre une vue sur la place de la Grue et sur la maison De Haene, c'est-à-dire le quartier qu'habitaient les parents du marié, commerçants en gros. (Musée Groeninge)

Petrus Pourbus (1524-1584) gehörte in Brügge, das er kaum je verließ, zu den Honoratioren und wurde als Maler, als fachkundiger Gerätebauer und als Kartograph geschätzt. Im Gegensatz zu seinen großen Werken in italisierendem Stil sind seine Porträts wohlhabender Bürger viel sorgfältiger ausgeführt. Mit bewusst beschränkten Mitteln gelingt es ihm den Reichtum seiner Auftraggeber zu suggerieren und somit deren Wünschen zu entsprechen.

Jan van Eyewerve und Jacquemijne Buuck sind ein jungverheiratetes Paar. Sie stehen rechts bzw. links von einem Fenster mit Aussicht auf den Kranplatz und das Haus De Haene, d.h. auf den Stadtteil, in dem die Eltern des jungen Ehemanns vom Großhandel lebten. (Groeningemuseum)

△
Het Zwart Huis (15de eeuw) in de Kuiperstraat was de opslagplaats en het weeghuis van de Spaanse kooplieden. Volgens een oude overlevering deed het in de 16de eeuw ook dienst als gevangenis.

Het meest opvallend is de indrukwekkende stenen gelijkvloerse verdieping met de drie kelderopeningen. De siergevel met zijn brede plint loopt in een minuscule trapgevel uit. De bovenste twee verdiepingen zijn er vooral om esthetische redenen, namelijk om het dak te verdoezelen.

The 15th century *Zwart Huus* (Black House) in Kuiperstraat was the warehouse and weighhouse of the Spanish merchants. Tradition says that it was also used as a prison in the 16th century.

The ground floor of the Black House is in stone with three entrances to the cellars. The curtain wall façade with its high stone cornice is curiously topped with a tiny stepped gable. In fact, the two upper stories have a purely decorative function as they only exist to hide the roof.

La *Zwart Huus* (XVᵉ siècle) de la Kuiperstraat servait d'entrepôt et de local des poids aux marchands de la «nation» — la communauté — espagnole. La tradition rapporte qu'on l'utilisait aussi comme prison au XVIᵉ siècle.

De la Maison Noire, on voit d'abord la masse du rez-de-chaussée en pierre, que creusent trois ouvertures donnant accès aux caves. La façade-écran avec haute plinthe en pierre se termine curieusement par un minuscule pignon à gradins. En fait, les deux étages supérieurs n'ont qu'un objectif esthétique; ils cachent la toiture de la maison.

Das Schwarze Haus (15. Jh.) in der Kuiperstraat (Küferstr.) war das Lagerhaus mit öffentlicher Waage der spanischen Kaufleute. Im 16. Jh. soll es als Gefängnis benutzt worden sein.

Die drei Öffnungen in der steinernen Masse des Erdgeschosses führen in die Keller. Der Ziergiebel ruht auf einer hohen Steinplatte und ist oben durch einen winzigen Treppengiebel abgeschlossen. Die zwei oberen Stockwerke sind nur aus ästhetischen Gründen da, um das Dach zu verbergen.

△
Rond 1435 liet Pieter Bladelin, raadsheer van Filips de Goede en schatbewaarder van de Orde van het Gulden Vlies, het naar hem genoemde hof in de Naaldenstraat bouwen. Reeds in 1451 trok hij zich terug in zijn kasteel te Middelburg (Vlaanderen). Kort voor zijn dood verkocht hij het hof aan het Brugse filiaal van de bank van het geslacht der Medici. De rijke Florentijnse koopman Tommaso Portinari stond toen aan het hoofd van dat filiaal en hij woonde in het hof tot zijn terugkeer naar Italië in 1497.

Pierre Bladelin, conseiller de Philippe le Bon et trésorier de l'Ordre de la Toison d'Or, construisit vers 1435 l'hôtel qui porte son nom dans la Naaldenstraat. Mais, dès 1451, il se fixa dans son château de Middelburg en Flandre. Peu avant sa mort, il vendit son immeuble à la filiale brugeoise de la banque Médicis. Le riche négociant florentin Tommaso Portinari en était alors le directeur et le resta jusqu'à son retour en Italie en 1497.

Pierre Bladelin, Councillor of Philip the Good and Treasurer of the Order of the Golden Fleece, built the mansion which bears his name in the Naaldenstraat around 1435. In 1451, however, he moved to his castle at Middelburg in Flanders. Shortly before his death he sold his house to the Bruges branch of the Medici bank. The wealthy Florentine banker, Tommaso Portinari, who was then the director, lived there until his return to Italy in 1497.

Der Ratgeber Philipps des Guten und Schatzmeister des Ordens vom Goldenen Vlies Peter Bladelin ließ um 1435 herum das herrschaftliche Haus bauen, das seinen Namen trägt. Bereits 1451 zog er sich auf sein Schloss in Middelburg (Flandern) zurück. Wenige Jahre vor seinem Tod verkaufte er der Brügger Filiale der Bank der Medici das Haus. Der reiche Florentiner Kaufmann Tommaso Portinari leitete damals die Niederlassung und wohnte dort bis zu seiner Rückkehr nach Italien im Jahre 1497.

▷
De economische achteruitgang van de handelshaven heeft er waarschijnlijk toe bijgedragen dat het middeleeuwse Brugge overeind is blijven staan. Het feit dat de huizen uit de 16de, 17de en 18de eeuw volkomen met de andere componenten van het stadsbeeld harmoniëren is even opmerkelijk. In de Naaldenstraat en in de omgelegen wijk is deze symbiose bijzonder geslaagd.

S'il est vrai que la décadence économique de la ville portuaire a sauvegardé le visage médiéval de Bruges, il n'en est pas moins remarquable que les maisons des XVIᵉ, XVIIᵉ et XVIIIᵉ siècles se soient harmonieusement insérées dans le tissu urbain. C'est aussi le cas dans le quartier de la Naaldenstraat.

The economic decline of the port of Bruges preserved the mediæval aspect of the city, but nonetheless, 15th, 16th and 17th century houses can be found integrated harmoniously into the urban fabric, such as those seen in the Naaldenstraat district.

Es mag stimmen, dass der Verfall des Handelshafens dazu beigetragen hat, dass Brügge sein mittelalterliches Aussehen behielt. Dass sich die Häuser aus dem 16., 17. und 18. Jh. so harmonisch wie hier in der Naaldenstraße in das vorgegebene Stadtbild einfügten, ist jedoch genauso bemerkenswert.

△
Zoals de kerken van Lissewege en Damme werd de St.-Jacobskerk in de 13de eeuw in een overgangsstijl tussen de laat-Romaanse en de vroeg-gotische stijl gebouwd. Ze heeft een opmerkelijke viering met vieringtoren. Gezien de groei van het inwonertal werd de aanvankelijk van de St.-Salvatorkathedraal afhankelijke kerk in 1240 een parochiekerk. De imposante bakstenen toren is van latere datum.

Conçue au XIIIe siècle dans un style gothique encore proche du roman tardif, qui caractérise les églises de Lissewege et de Damme, Saint-Jacques présente une remarquable croisée de transept réalisée en pierre. La population augmentant, l'église qui relevait de Saint-Sauveur devint paroissiale en 1240. Plus tardive (XIVe siècle), la tour en brique est massive.

Built in the 13th century in an early Gothic style still close to late Romanesque, like the churches of Lissewege and Damme, St. James has a remarkable transept crossing in stone. With the increase in population, the church which was an adjunct of St. Saviour became a parish church in 1240. The massive brick tower is 15th century.

Die St.-Jakobskirche wurde im 13. Jh. in einem Übergangsstil zwischen Spätromanik und Frühgotik gebaut, der auch die Kirchen von Lissewege und Damme kennzeichnet. Vor allem die steinerne Vierung ist bemerkenswert. Der Bevölkerungszuwachs hatte zur Folge, dass das von der St.-Salvatorkirche abhängige Gotteshaus bereits 1240 den Rang einer Pfarrkirche erhielt. Der wuchtige Backsteinturm kam erst im 14. Jh. hinzu.

▷
Als men het vanuit de bovenramen van het hof Bladelin bekijkt, heeft het hof van Gistel in de Naaldenstraat, vooral het portaal ervan, een al ietwat barokke allure. De traptoren daarentegen is nog echt laatgotisch.

Vu du haut de l'hôtel Bladelin, le *Hof van Gistel* de la Naaldenstraat profile une architecture qui, par son portail d'entrée, préfigure le baroque. En revanche, sa tourelle d'escalier est du plus pur style gothique tardif.

Looking down from the Bladelin mansion, the *Hof van Gistel* in Naaldenstraat reveals the beginning of the baroque in the architecture of the entrance portal. The staircase tower, on the other hand, is pure Late Gothic.

Wenn man *Hof van Gistel* in der Naaldenstr. vom Obergeschoss des herrschaftlichen Hauses Bladelin aus sieht, werden die auf den Barockstil vorausdeutenden Merkmale deutlich, u.a. im Eingangsportal. Dies gilt jedoch nicht für den noch wirklich spätgotischen Treppenturm.

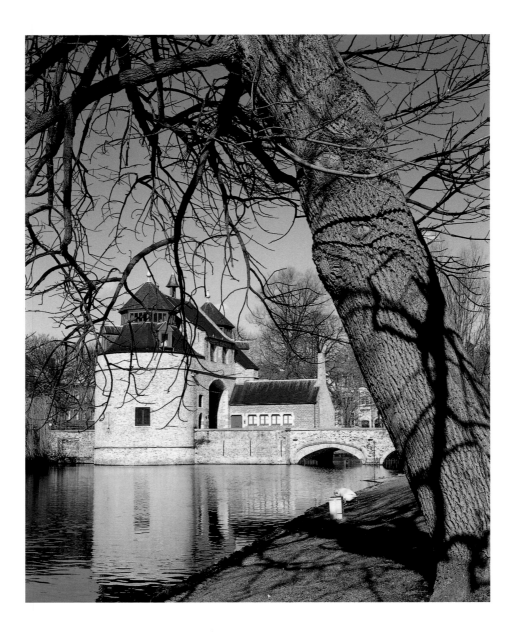

△

De Ezelpoort wordt in de volksmond ook de Oostendse poort genoemd. Zij dateert van 1297, maar werd eerst in 1370, dan nog eens in 1613 herbouwd.

Op 11 juli 1803 deden de eerste-consul Napoleon Bonaparte en zijn eerste echtgenote Joséphine de Beauharnais via deze poort hun intrede in Brugge, dat ze drie dagen later via de Kruispoort verlieten.

Edifiée en 1297, l'Ezelpoort — la porte des Baudets — communément appelée porte d'Ostende, fut reconstruite en 1370 puis en 1613.

Le 11 juillet 1803, accompagné de sa première femme Joséphine de Beauharnais, Bonaparte, alors Premier Consul, fit son entrée à Bruges par cette porte. Il quitta Bruges trois jours plus tard par la porte Sainte-Croix.

First built in 1297, the Ezelpoort, or Donkey Gate, is also known as the Ostend gate and was rebuilt in 1370 and again in 1613.

On July 11, 1803 Napoleon, then First Consul, accompanied by his first wife, Josephine de Beauharnais, entered Bruges by this gate. He left three days later by the Holy Cross gate.

Das 1297 gebaute Eselstor, auch Tor nach Ostende genannt, wurde 1370, dann wieder 1613 neu erbaut.

Am 11. Juli 1803 zog Bonaparte mit seiner ersten Gemahlin Joséphine de Beauharnais als Erster Konsul durch dieses Tor in die Stadt ein. Vier Tage später, als er sie verließ, zog er durch das Kreuztor.

▷

De Oosterse vorsten op deze «Aanbidding van de drie Koningen» zijn van de hand van een anonieme schilder die in bekwaamheid niet onderdeed voor de grootste meesters. In de registers van de Brugse en van de Antwerpse schildersgilden van de 16de eeuw komen er heel wat namen voor die in aanmerking komen als scheppers van een min of meer maniëristisch werk zoals dit hier. (Groeningemuseum)

Les princes orientaux tels que les a imaginés le peintre anonyme de «l'Adoration des Mages» sont dignes du pinceau d'un maître au nom illustre. Il faut dire que la liste des membres de la guile brugeoise comme de celle d'Anvers comporte, au XVIᵉ siècle, beaucoup de noms qui mériteraient d'être attribués à des œuvres de tendance maniériste. (Musée Groeninge)

The oriental princes executed by the anonymous painter of the "Adoration of the Wise Men" are worthy of coming from the brush of a renowned master. In the 16th century guild rolls of Bruges, like those of Antwerp, bear many names that could be assigned to works in the Mannerist style. (Groeninge Museum)

Die Fürsten aus dem Orient, die der anonyme Maler in dieser «Anbetung der Weisen aus dem Morgenland» hier vorführt, könnten Schöpfungen eines erstrangigen Meisters sein. In den Registern der Malerzünfte von Brügge und Antwerpen stößt man auf viele Namen, die als Urheber dieses oder ähnlicher, dem Manierismus zuzuordnender Werke in Frage kämen. (Groeningemuseum)

De eerste pottenbakkerijen ontstonden ver-moedelijk toen de stad werd gesticht. Het ambacht van de pottenmakers had in ieder geval al in 1357 een eigen zegel. In die tijd ves-tigden de leden van het gilde zich in de Pottenmakersstraat dicht bij de stadsomwalling van 1127. De huisjes in die straat zijn school-voorbeelden van de armelijke woningen die de Bruggelingen in de 19de eeuw lieten bouwen.

Pottery making dates from the foundation of Bruges, and the *pottenmakers* had their own seal in 1357. At that time the potters were established near the old rampart on the street bearing their name. The present houses are typ-ical of those built by the impoverished citizens of Bruges in the 19th century.

Les débuts de la fabrication de poteries se confondent avec les origines de Bruges. Le métier des potiers avait son sceau en 1357. A cette époque, les *pottenmakers* se sont établis à proximité de l'ancien rempart, dans la rue qui porte leur nom. Les maisons actuelles de cette rue sont typiques de celles que les Brugeois, appauvris, construisirent au XIXe siècle.

Seit der Entstehung Brügges gab es dort Töpferwerkstätten. 1357 besaß die Zunft ihr eigenes Siegel. Zu der Zeit siedelten die Töpfer sich in der Nähe der Stadtmauern an und gaben so der «Pottenmakersstraat» ihren Namen. Die heutigen Häuser der Straße wurden im 19. Jh. gebaut. Ihnen ist die damalige Verarmung Brügges anzusehen.

In de loop van de 13de eeuw groeide Brugge buiten de oude, door paalwerk en sloten versterkte omwalling uit. Van de nieuwe, in 1297 begonnen omwalling zijn slechts enkele bouwfragmenten bewaard gebleven zoals het deel van de toren aan de overkant van de reie, de vroegere sloot.

De Grauwwerkersstraat wordt reeds in de 14de eeuw vermeld. De consul van Genua woonde er, maar ging zich in de 16de eeuw in Antwerpen vestigen.

In the 13th century the city of Bruges had spread far beyond its old palisade and ditches. Only a few fragments of the new walls begun in 1297 have escaped demolition.

On the other side of a ditch which is now a canal, an old alley faces the vestige of a tower. The Grauwwerkersstraat was already mentioned by this name around 1400, and again in the 16th century when the Genoese consul who resided there, moved to Antwerp.

Au XIIIᵉ siècle, la ville de Bruges débordait largement l'ancienne enceinte palissadée, renforcée de fossés. De la nouvelle enceinte dont la construction débuta en 1297, quelques fragments seulement ont échappé au démantèlement.

Une ancienne ruelle fait face au vestige d'une tour, de l'autre côté du fossé devenu canal. La Grauwwerkersstraat est déjà mentionnée sous ce nom vers 1400 environ, et encore au XVIᵉ siècle quand le consul de Gênes, qui y habitait, la quitta pour se fixer à Anvers.

Im 13. Jh. wuchs die Stadt über die ersten, mit Pfahlwerk und Gräben verstärkten Stadtmauern hinaus. Von den neuen, ab 1297 gebauten Stadtmauern sind nur wenige Teile übriggeblieben, u.a. der Turm, den man jenseits der Gracht — früher ein Graben — sehen kann.

Die Straße trug ihren heutigen Namen Grauwwerkerstr. bereits im 14. Jh. In ihr wohnte der Konsul Genuas, bis er im 16. Jh. nach Antwerpen zog.

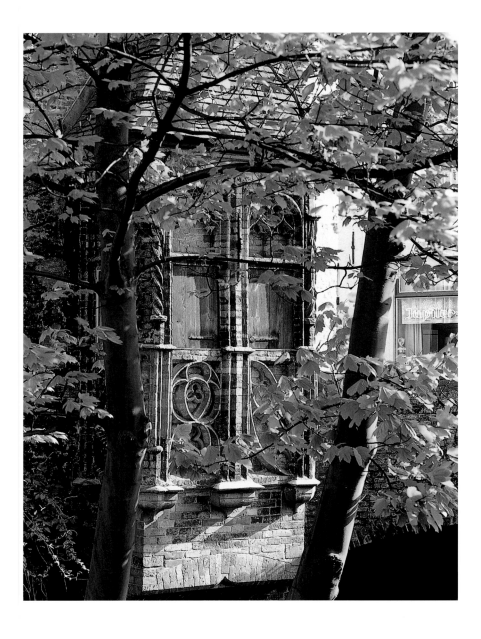

△

Dicht bij de Vlamingbrug voorzag Herman van Oudvelde, deken van het gilde der edelsmeden, zijn huis in 1514 van een erker in geprofileerde baksteen om langer bij zonlicht in zijn atelier te kunnen werken. Het hellende dak sluit de vlakken van de laat-gotische gevel met ingewerkte nissen op een erg stijlvolle wijze af.

A proximité du Vlamingbrug, Herman van Oudvelde, le doyen de la guilde des orfèvres, dota sa maison d'un petit balcon de briques moulurées (1514). Son atelier s'en trouva mieux éclairé par la lumière du jour. Le toit en pente coiffe élégamment les niches des travées et les registres de style gothique tardif.

Near the Vlamingbrug, Herman van Oudvelde, dean of the silversmiths, had a little balcony made of molded bricks attached to his house as his workshop required the light of day (1514). The elegant sloping roof shelters the bays and the Late Gothic registers.

Hermann van Oudvelde, der Zunftmeister der Edelschmiede, ließ 1514 einen Erker aus Back- und Formsteinen an sein Haus anbauen, um länger bei Tageslicht arbeiten zu können. Ein dreiseitig abgeschrägtes Dach überragt die von Nischen durchbrochenen Giebelfelder und spätgotischen Einfassungen.

▷

In een overvloedig met renaissancedecoratie gestoffeerd en nogal met vaten volgepropt vertrek toont een anonieme kunstenaar ons het gracieuze gebaar van een tamelijk jonge vrouw die melk in de door een kind vastgehouden kom giet. Omwille van de droefheid die men het kind en ook de in de deuropening staande dienaar van het gezicht kan aflezen, werd dit mooie genrestuk «De weduwe» genoemd. (Goeningemuseum)

Dans une pièce au riche décor Renaissance mais encombrée de tonneaux, un peintre anonyme décrit le geste élégant d'une femme encore jeune, versant du lait dans le bol que tient son enfant. Le visage triste de celui-ci ainsi que celui du serviteur dans l'embrasure de la porte ont valu à ce beau tableau de genre le titre de «La Veuve». (Musée Groeninge)

This picture by an anonymous artist, set in a richly decorated Renaissance room strangely full of kegs, depicts the graceful gesture of a youngish woman pouring milk into a bowl held by her child. The sad faces of the child and of the servant in the doorway have given this handsome genre painting the title of "The Widow". (Groeninge Museum)

In einem üppig im Renaissancestil ausgestatteten Raum, in dem zahlreiche Fässer gelagert sind, gießt eine junge Frau auf liebenswürdige Art und Weise Milch in die Schale, die ein Kind ihr entgegenhält. Die Traurigkeit, die man dem Kind sowie dem in der Türöffnung stehenden Diener vom Gesicht ablesen kann, hat dazu geführt, dass man dieses Werk eines Unbekannten «Die Witwe» genannt hat. (Groeningemuseum)

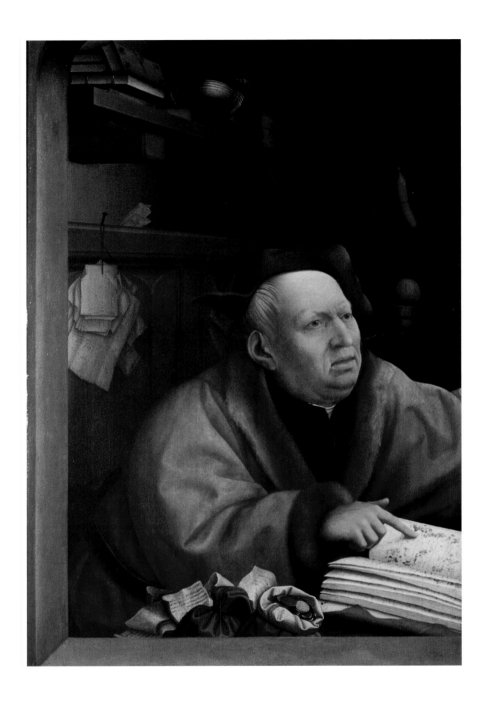

△ Jan Provoost werd rond 1465 in Bergen (Henegouwen) geboren. Hij leerde het schildersvak bij S. Mirmion, werd in Antwerpen in het gilde opgenomen en vestigde zich daarna te Brugge. Toen Albrecht Dürer Antwerpen bezocht, ontmoette hij er de «goede schilder» J. Provoost, die hem naar Brugge uitnodigde. In het dagboek van zijn reis door de Nederlanden (1520-1521) schrijft Dürer: «En toen ik te Brugge aankwam, nam Jan Provoost mij in zijn huis als gast op en gaf dezelfde nacht een kostelijke maaltijd en nodigde om mij genoegen te doen, vele lieden uit.»

Het portret van «De Gierigaard» in het Groeningemuseum wordt door de meeste kunsthistorici aan J. Provoost toegeschreven.

Jan Provoost was from Hainaut, born in Mons around 1465. After studying with Simon Marmion and perfecting his craft at Antwerp, he settled in Bruges. When Albrecht Dürer visited Antwerp he met the "good painter" Jan Provoost who invited him to Bruges. Dürer wrote in his travel journal that "when I arrived in Bruges, I stayed with Jan Provoost who, the same evening, organized a sumptuous dinner and invited a lot of people for my pleasure."

The portrait of "The Miser" in the Groeninge Museum is attributed to Jan Provoost by most art historians.

Jean Provoost était un Hennuyer : il naquit à Mons vers 1465. Après avoir été l'élève de Simon Marmion et avoir acquis la maîtrise à Anvers, il se fixa à Bruges. Quand Albrecht Dürer se rendit à Anvers, il y rencontra «le bon peintre» Jean Provoost qui l'invita à Bruges. «Lorsque j'arrivai à Bruges, raconte Dürer dans son journal de voyage, Jean Provoost m'hébergea chez lui et le même soir il organisa un magnifique repas et invita un grand nombre de personnes pour me faire plaisir.»

Le portrait de «L'Avare» au musée Groeninge est attribué à Jean Provoost par la plupart des historiens de l'art.

Jan Provoost wurde 1465 in Mons (Provinz Hennegau) geboren. Er war ein Schüler S. Marmions, wurde Meister in Antwerpen und kam dann nach Brügge. Albrecht Dürer traf den ausgezeichneten Maler in Antwerpen, und dieser lud ihn zu einem Besuch in Brügge ein. In seinem Reisetagebuch erzählt Dürer, J. Provoost habe ihn in Brügge beherbergt und zu seiner Ehre sowie zu seinem Vergnügen ein Festmahl mit zahlreichen Gästen veranstaltet.

Von den meisten Kunsthistorikern wird das Porträt «Der Geizhals» Jan Provoost zugeschrieben. (Groeningemuseum)

De in hout opgetrokken huizen hielden de oude, middeleeuwse traditie in ere. Het huis met houten gevel in de Korte Winkelstraat dateert uit de 16de eeuw, toen deze bouwwijze al erg uitzonderlijk was. Boven de bakstenen kelder verrijzen de drie telkens lichtjes uitkragende verdiepingen. Ze zijn vertikaal met planken bekleed en alleen beneden zijn er hoge vensters.

La tradition médiévale persistait forcément dans les maisons bourgeoises dont la façade était en bois. Celle de la Korte Winkelstraat qui date du XVIᵉ siècle — ce qui est exceptionnel — dispose, au-dessus de la cave en brique, les encorbellements de trois niveaux de planches verticales. Seules les fenêtres du premier étage sont hautes.

Mediæval traditions long persisted in bourgeois houses with wooden façades. The one in Korte Winkestraat dates from the 16th century, which is quite rare. Over the brick cellars are three registers of corbellments in vertical planking. Only the first floor has high windows.

In den Hausgiebeln aus Holz ist die mittelalterliche Tradition besser erhalten als anderswo. Dieser hier in der Korte Winkelstr. ist aus dem 16. Jh. und allein schon deshalb eine Seltenheit. Das Fachwerk ragt über dem Keller aus Backstein in drei jeweils vorragenden Stockwerken empor, die vertikal mit Brettern ausgelegt sind. Hohe Fenster hat nur das Erdgeschoss.

△
Het huis der kooplieden van Genua (1399), ook Genuese Loge of Saaihalle genoemd, had oorspronkelijk een siergevel, maar tijdens de omvangrijke verbouwingswerkzaamheden in de 18de eeuw werd die door een klokgevel vervangen. De laat-gotische toegangspoort lijkt op die van het stadhuis, maar het timpaan bevat vijf schilden die rond St Joris-met-de-draak, de beschermheilige van Genua, gegroepeerd zijn.

Het huis vlak daarnaast met een siergevel waarvan de verticaliteit in het oog springt, werd bewoond door de familie Van der Buerse, die aan de grondslag ligt van het woord «beurs» in verschillende talen.

The Genoese trading house of 1399 had a curtain wall façade but was completely remodelled in the 18th century, notably by the addition of a bell gable. The main door in Late Gothic is similar to those of the Town Hall. It is surmounted by a sculptured tympanum grouping five coats of arms around St. George, patron of Genoa, slaying the dragon.

The neighbouring house (1453) belonged to the van der Buerse family who gave their name to the bourse or stock exchange. Its curtain wall façade is remarkable for its exceptional height.

La maison des Génois (1399) qui, à l'origine, comportait une façade-écran, a été considérablement transformée au XVIIIᵉ siècle, notamment par la construction d'un pignon en cloche. La porte d'entrée en gothique tardif rappelle celle de l'hôtel de ville. Mais elle est surmontée d'un tympan sculpté groupant cinq écussons autour de saint Georges, patron de la ville de Gênes, terrassant le dragon.

A la famille van der Buerse — qui a donné son nom à la bourse — appartenait la maison voisine (1453) dont la façade-écran se caractérise par une exceptionnelle verticalité.

Das Haus der Genueser Kaufleute (1399) hatte anfänglich einen Ziergiebel, doch dieser wurde im 18. Jh. zum Teil durch eine geschweifte Giebelspitze ersetzt. Die spätgotische Pforte erinnert an die des Rathauses. Auf dem mit Skulpturen verzierten Bogenfeld darüber streckt der hl. Georg, der Schutzpatron der Genuesen, den Drachen nieder. Um ihn herum sind fünf Wappen in den Stein gehauen.

Der Familie van der Buerse, von deren Namen das Wort Börse stammt, gehörte das daneben stehende Haus (1453), bei dessen Ziergiebel der Vertikalismus ins Auge springt.

120

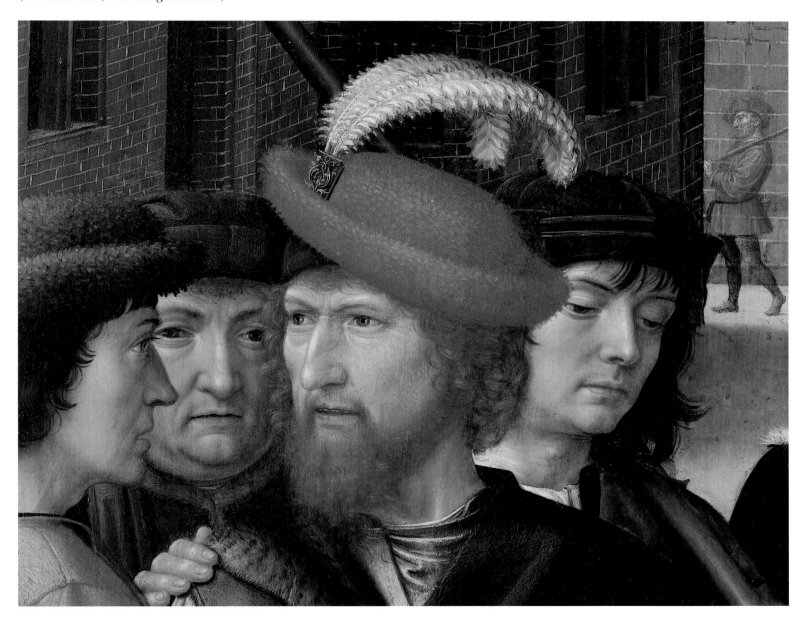

▷▷

Rond het Jan van Eyckplein staan enkele opmerkelijke huizen
uit de 16de eeuw. De strengheid van de gekanteelde siergevel
van het Genthof wordt enigszins getemperd door de boven de
kelderdeur vooruitspringende trap en het mooie standbeeld op
de hoek. Een andere gevel wordt verfraaid door een poort in
tudorstijl met mooie opvullingen in de koribogen en aan de
bovenkant door een reeks kantelen aan weerszijden van de trapgevel.

Several remarkable 16th century houses are grouped on Jan
van Eyckplein. The severity of the crenellated curtain wall
façade of the Genthof is relieved by the staircase over the cellar
entrance and by the corner statue. Another façade has a Tudor
style portal with graceful inserts in the basket-handle arches
and, at its summit, a series of crenellations centered on a step
gable.

Sur la place Jan van Eyck sont groupées quelques remar-
quables maisons du XVIᵉ siècle. La rigueur de la façade-écran du
Genthof, crénelée, se trouve compensée par l'escalier qui sur-
plombe l'accès aux caves et par une statue d'angle. Une autre
façade présente un portail de style Tudor, de gracieux remplages
sur les arcs en anse de panier et, à son sommet, une série de cré-
neaux coupée en son centre par un pignon à gradins.

Der Jan van Eyckplatz ist von bemerkenswerten Häusern aus
dem 16. Jh. umgeben. Die strenge, durch Zinnen abgeschlosse-
ne Gliederung der Blendfassade des Genthof wird durch die den
Kellereingang überragende Treppe und die an der Ecke aufgestellte Statue gemildert. Ein anderer Giebel ist durch ein Portal
im Tudorstil, Korbbögen mit zierlichen Bogenfüllungen und
Zinnen gekennzeichnet, in deren Mitte ein abgestufter Giebel
aufragt.

◁

De Bruggelingen vonden Corduaans leer een onovertroffen produkt, vooral om er muren mee te bespannen. Bij uitbreiding werd «Corduaans» gebruikt voor alle soorten van leer, zodat de Cordouaniersstraat eigenlijk de straat van de schoenmakers is.

A tous les cuirs du monde, les Brugeois préféraient celui de Cordoue, en particulier pour tapisser les murs. Par extension, le qualificatif de cordouan était appliqué à tous les cuirs. Le nom de Cordoeanierstraat indique donc la rue des Cordonniers.

Of all the leather in the world, Bruges preferred that of Cordova, especially for wall coverings. By extension, the term "cordovan" was applied to all leather. The name "Cordoeanier-straat" actually means Cordwainers street.

In Brügge war das Leder aus Cordoba sehr geschätzt, vor allem für die Anfertigung von Wandbehängen. Das vom Stadtnamen abgeleitete «Corduaans» wurde bald für alle Arten von Leder gebraucht, so dass die Cordoeanierstraat die Straße der Schuhmacher ist.

▷

Het provinciaal informatiecentrum op het Jan van Eyckplein — eertijds de wijk der Hanzesteden — is in het Tolhuis (1477) gevestigd, waar destijds tol op de scheepsladingen werd geheven. Boven de laat-gotische hoofdingang prijkt het wapenschild van Pieter van Luxemburg, die het huis liet bouwen.
Het veel kleinere Pijndershuis (pijnder = sjouwer, scheepslosser) vlak daarnaast met opengewerkte balustrade bovenaan vormt een harmonieus geheel met het fraaie, opengewerkte voorportaal van het Tolhuis.

Sur la place Jan van Eyck qui correspond à l'ancien quartier hanséate, le Centre d'information provincial occupe les locaux de la *Tolhuis* (1477) où se percevaient les droits de douane sur les chargements des bateaux. L'élégant portail en gothique flamboyant est surmonté des armoiries de Pierre de Luxembourg, le maître d'œuvre du bâtiment.
Jouxtant la *Tolhuis*, la petite maison des Débardeurs *(pijnders)* se termine, tout comme le portail de la Tolhuis, par une balustrade.

On Jan van Eyckplein, which corresponds to the old Hanseatic quarter, the public library occupies the premises of the *Tolhuis* (Tollhouse) of 1447 where customs duties were levied on ships' cargo. The elegant flamboyant Gothic portal is surmounted by the arms of Pierre of Luxembourg, the master builder of the edifice.
Next to the Tollhouse stands the little guild house of the stevedores *(pijnders)* which terminates, as does the Tolhuis portal, with a balustrade.

Der Jan van Eyckplatz war früher das Hanseviertel. Die heutige öffentliche Bibliothek befindet sich im *Tolhuis* (Zollamt, 1477), in dem der Zoll für die Schiffsladungen entrichtet werden musste. Das Wappen Peters von Luxemburg, der das Haus bauen ließ, prangt über dem anmutigen spätgotischen Portal.
Neben dem früheren Zollamt ist das Haus der Dockarbeiter *(Pijndershuis)*. Es hat wie das Portal des Zollamts oben einen balustradeartigen Abschluss.

▽

Tijdens de pestepidemies van de 15de en 16de eeuw hadden de Zwarte Zusters zich in het in 1361 gestichte klooster bij de Castanjeboom met veel toewijding het lot van de kinderen aangetrokken. Na de ontbinding van de orde door de Franse bewindslieden werd het gebouw gesloopt. Meer dan twee eeuwen eerder (1561) hadden de Zwarte Zusters al een nieuw klooster met een laat-gotische gevel zonder ook maar een enkel renaissance-ornament aan de Woensdagmarkt laten bouwen.

Pendant les épidémies de peste des XVe et XVIe siècles, les Sœurs Noires s'étaient distinguées par leur dévouement à soigner les enfants dans leur couvent du Castanjeboom, fondé en 1361. Le bâtiment fut démoli en 1798, six ans après la dissolution de la congrégation par les autorités françaises. Mais avant cela, en 1561, les Sœurs Noires avaient construit leur nouveau couvent sur le marché du Mercredi. Loin de se laisser influencer par le style nouveau, elles avaient opté pour une façade en gothique tardif.

During the 15th and 16th centuries the Black Nuns were noted for their devotion in caring for children stricken by the Black Death in their convent of the Castanjeboom, founded in 1361. The building was demolished in 1798, six years after the dissolution of the Order by the French authorities. Before that, however, the Black Nuns had built a new convent in 1561 on the Wednesday Market. Rejecting the new styles, they chose a façade in Late Gothic.

Die Schwarzen Schwestern hatten sich während der Pestseuchen vor allem der kranken Kinder angenommen und sie in ihrem 1361 gegründeten Kloster gepflegt. Nach der Auflösung des Ordens durch die französischen Machthaber wurde dieses Gebäude abgerissen, doch die Schwestern hatten bereits mehr als zwei Jahrhunderte früher (1561) ein zweites Kloster gebaut, und zwar in spätgotischem Stil ohne das geringste Zugeständnis an den damals gängigen Baustil.

▷

De Poortersloge met het beroemde «beertje van de loge» dagtekent uit de 14de eeuw maar werd in de 15de en nog eens na de brand van 1755 weer opgebouwd. De gevel met traveeën en opengewerkte timpanen is typisch Brugs, de balustrade rondom eerder Brabants.

La Poortersloge, la *maison des bourgeois*, datait du XIVe siècle; elle fut reconstruite du siècle suivant, puis à nouveau, après l'incendie de 1755. On y retrouve le système typiquement brugeois des travées avec tympans ajourés. En revanche, la balustrade qui entoure le bâtiment est d'inspiration brabançonne.

The Poortersloge dates from the 14th century, was rebuilt in the following century and then once again after a fire in 1755. It is an example of the typical Bruges style of bays with openwork tympanums. The balustrade going around the building is of Brabantine inspiration.

Die Poortersloge, das Haus der Stadtbürger (14. Jh.) mit ihrem Bärchen als Symbol wurde im 15., dann nach dem Brand von 1755 im 18. Jh. neu erbaut. Der Giebel zeigt die für Brügge typische Gliederung mittels durchbrochener Giebelfelder. Die Balustrade hingegen verrät den Einfluss des Brabanter Stils.

Nadat hij ten tijde van de aartshertogen Albert en Isabella drie jaar lang Oostende had belegerd, verdreef de markies de Spinola Maurits van Nassau in 1604 uit de stad. Daar hij in een huis tussen het Jan van Eyckplein en de Engelsestraat had gewoond, werd dat gedeelte van de Spiegelrei *(links)* Spinolarei genoemd.

Après un siège de trois ans, sous le règne des archiducs Albert et Isabelle, le marquis de Spinola enleva Ostende à Maurice de Nassau, en 1604. Comme il avait habité une des maisons entre la place van Eyck et la rue Anglaise, son nom fut attribué à toute cette partie du Spiegelrei *(à gauche)*.

During the reign of the Archdukes Albert and Isabella, the Marquis of Spinola finally took the port of Ostend in 1604, after a three-years' siege, from Maurice of Nassau. Because the Marquis had lived in one of the houses between Jan van Eyck square and English street, his name was given to this part of the Spiegelrei *(at left)*.

Nachdem er Ostende zur Zeit der Erzherzöge Albert und Isabella drei Jahre lang belagert hatte, gelang es dem Marquis de Spinola 1604 endlich Mauritz von Nassau zu vertreiben. Da er damals zwischen dem Jan van Eyckplatz und der Englischen Straße gewohnt hatte, gab man diesem Teil der Spiegelrei seinen Namen *(links)*.

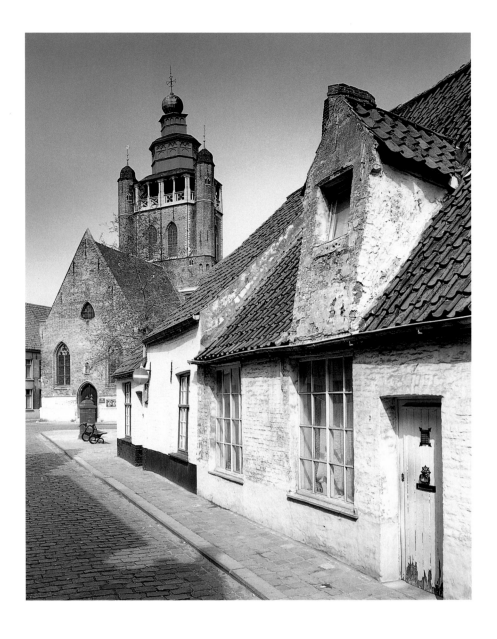

Paus Martinus V verleende in zijn bul van 12 mei 1427 de gebroeders Pieter en Jacobus Adornes het recht om de door hun vaderen gestichte H. Grafkerk met een campanile te bekronen. Volgens de legende zou het een getrouwe kopie van de H. Grafkerk te Jeruzalem zijn, maar de Oosterse allure van de achtkantige toren ten spijt lijkt dat niet waarschijnlijk.

De kerk was nooit een parochiekerk; het is een privékerk, bezit van de graven van Limburg-Stirum.

Vooral de crypte toont aan dat de Jeruzalemkerk als een repliek van de H. Grafkerk te Jeruzalem was bedoeld. Dit verklaart eveneens waarom het koor zo hoog ligt. Midden in het een halve eeuw later (1470-1482) gebouwde kerkschip staat de monumentale tombe van Anselmus Adornes en zijn vrouw Margareta van der Banck. De glasramen behoren tot de kostbaarste van de hele 15de eeuw.

A papal bull issued by Martin V on May 12, 1427 authorized Pieter and Jacob Adorno to erect a bell tower on the Holy Sepulchre chapel built by their ancestors. According to popular belief, the plan is that of the old church of the Holy Sepulchre in Jerusalem. This is unlikely, but the octagonal tower is strikingly oriental.

The church has never served a parish, remaining private, and now belongs to the Limburg-Stirum family.

When designing the lower part of the chevet of the Jerusalem church, the architect probably wanted to recall the tomb of Christ, which explains the extreme elevation of the choir. The little nave, built fifty years later between 1470 and 1482, gives prominence to the mausoleum of Anselm Adorno and his wife, Margaretha van der Banck. The stained glass is among the most precious of the 15th century.

Par une bulle du 12 mai 1427, le pape Martin V autorisa les frères Pierre et Jacques Adornes à construire un campanile sur la chapelle du Saint-Sépulcre, fondée par leurs ancêtres. Selon la tradition populaire, le plan serait celui de l'ancienne église du Saint-Sépulcre à Jérusalem. C'est peu probable mais le fait est que la tour octogonale surprend par son orientalisme.

L'église n'a jamais été paroissiale; elle est demeurée privée et appartient aux comtes de Limburg-Stirum.

En concevant la partie basse du chevet de l'église de Jérusalem, l'architecte a sans doute voulu évoquer la tombe du Christ. D'où la forte surélévation du chœur. Construite un demi-siècle plus tard — entre 1470 et 1482 — la petite nef met en évidence le monument funéraire d'Anselme Adornes et de son épouse Marguerite van der Banck. Les vitraux comptent parmi les plus précieux du XVᵉ siècle.

In seiner Bulle vom 12. Mai 1427 gestattete Papst Martin V. den Brüdern P. und J. Adornes, die von ihren Ahnen errichtete und dem hl. Grab gewidmete Kapelle mit einem campanileartigen Turm zu krönen. Der Volksmund behauptet zwar, ihr Plan entspreche dem der Kirche zum hl. Grab in Jerusalem, doch trotz des achteckigen, recht orientalisch anmutenden Turmes ist das sehr zu bezweifeln.

Diese Kirche war nie eine Pfarrkirche; sie ist privates Eigentum derer von Limburg-Stirum.

Die Krypta der Jerusalemkirche zeigt, dass der Baumeister das Heilige Grab nachbilden wollte. Darum liegt der eigentliche Chor so hoch. In der Mitte des kurzen, zwischen 1470 und 1482 gebauten Kirchenschiffes steht das Grabmal des Anselmus Adornes und seiner Gattin Margaretha van der Banck. Die bunten Kirchenfenster zählen zu den wertvollsten des 15. Jh.

131

◁

De St.-Annakerk (16de eeuw) met haar haast dorpse aanblik — ze lag dan ook zo ver van het stadscentrum! — werd ten tijde van de beeldstormerij verwoest. Toen ze in de 17de eeuw weer werd opgebouwd, verrees de toren op dezelfde plaats en bleef ze even onopgesmukt als vroeger.

Aan de kim zien we de torens van de St.-Salvatorkerk (nu kathedraal), het Belfort, de St.-Walburgakerk en het torentje van de Poortersloge, die over Brugge waken.

D'allure campagnarde — elle était éloignée du centre de la ville — l'église Sainte-Anne (XVᵉ siècle) fut totalement détruite par les iconoclastes. Lors de sa reconstruction au XVIIᵉ siècle, on garda l'emplacement de la tour et la sobriété de ses origines.

A l'horizon se succèdent les tours de Saint-Sauveur, du beffroi, de Sainte-Walburge ainsi que la tourelle de la Poortersloge.

Built at some distance from the city centre, the rustic 15th century church of St. Anna was totally destroyed by the iconoclasts. The 17th century reconstruction preserved the site of the tower and followed the restrained style of the original.

Rising in turn on the horizon are the towers of St. Walburga, the belfry, St. Saviour and the turret of the Poorterloge.

Die ländlich anmutende, übrigens schon ziemlich weit von der Stadtmitte entfernte St.-Annakirche (15. Jh.) wurde von den Bilderstürmern völlig zerstört, doch auch als man sie im 17. Jh. wieder aufbaute, ließ man den Turm dort, wo er früher gestanden hatte, und vermied jede Prahlsucht.

Am Horizont ragen die Türme der St.-Salvatorkirche, des Belfrieds, der St.-Walburgakirche und der kleinere der Poortersloge empor.

△

Jozef de Meulemeester is een befaamd schilder-etser uit de 18de eeuw. Zijn huis in de St.-Annarei is een schoolvoorbeeld van de manier waarop de Lodewijk-XV-stijl in Brugge werd geïnterpreteerd en aangepast.

Joseph de Meulemeester était un peintre-graveur réputé au XVIIIᵉ siècle. Sa maison en la Sint-Annarei est un bon exemple de la manière brugeoise d'interpréter le style Louis XV.

Joseph der Meulemeester was a renowned painter-engraver of the 18th century. His house in St. Anna's street is a fine example of the Bruges interpretation of the Louis XV style.

Joseph de Meulemeester war im 18. Jh. ein bekannter Maler und Kupferstecher. Sein Haus in der St.-Annarei zeigt auf vorbildliche Weise, wie der Louis-quinze Stil in Brügge zum Zopfstil wurde.

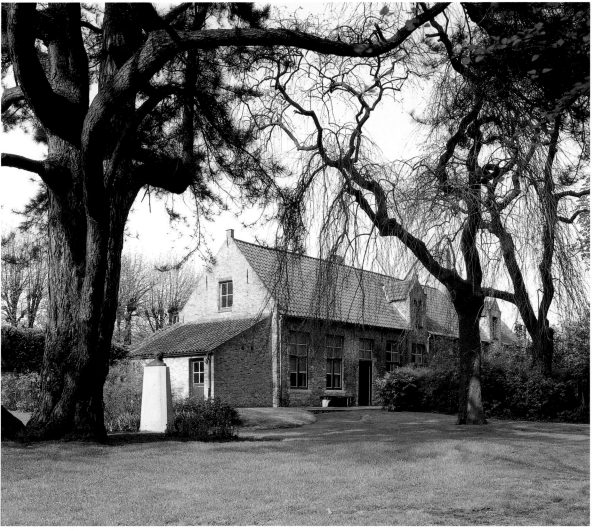

△ Guido Gezelle, de grootste Vlaamse dichter van de 19de eeuw, werd op 1 mei 1830 geboren in de helemaal in de lengte gebouwde stedelijke boerderij, waarin zijn met Monica Devriese getrouwde vader Pieter Jan een tuiniersbedrijfje exploiteerde. Hij prees met vurige vinnigheid de welluidendheid van het Vlaams:

De vlaamsche tale is wonder zoet,
voor die heur geen geweld en doet,
maar rusten laat in 't herte...

Guido Gezelle, le plus grand poète flamand du XIXe siècle, naquit le 1er mai 1830 dans la ferme urbaine, toute en longueur, qu'habitaient son père Pieter-Jan qui était jardinier et sa mère Monica Devriese. Il célébra avec enthousiasme et finesse la saveur de la langue flamande:

La langue flamande est merveilleusement douce
Pour qui ne lui fait aucune violence
Mais la garde paisiblement en son cœur...

Guido Gezelle, the greatest Flemish poet of the 19th century was born on May 1, 1830, on a narrow urban farm where his father, Pieter-Jan, a gardener, and his mother, Monica Devriese, resided. He celebrated with enthusiasm and subtlety the flavour of the Flemish language:

The Flemish tongue is sweetly soft
For those who do not abuse it
But keep it quietly in their hearts...

Guido Gezelle, der größte flamische Dichter des 19. Jh., wurde am 1. Mai 1830 in der sich die Straße entlang ausstreckenden Stadtgärtnerei geboren, in der sein Vater Pieter-Jan, der Gärtner war, mit seiner Gattin Monica Devriese wohnte. Er sang auf begeisterte und feinsinnige Weise das Lob der flämischen Sprache:

Das Flämische hat einen süßen Klang,
vermeidest du nur jeden Zwang,
läßt du' s nur ruhn an deinem Herzen...

▷ Er zijn nog een groot aantal godshuizen bewaard gebleven. Het waren eenvoudige rijtjeshuizen of huisjes die uitkwamen op een klein binnenplein. Meestal werden ze door de ambachten ter beschikking gesteld aan gehandicapte of bejaarde ambachtslieden. De godshuizen hier in de Balstraat ontstonden rond 1600 en behoorden toe aan het ambacht der schoenmakers. Nu is daar het Museum voor Volkskunde ondergebracht.

Il subsiste un grand nombre de maisons-Dieu, modestes maisonnettes disposées soit en rangées soit autour d'une cour. La plupart des corporations en possédaient; elles les mettaient à la disposition des accidentés du travail et de leurs membres âgés. Les maisonnettes de la Balstraat, construites vers 1600, appartenaient à la corporation des cordonniers; elles abritent actuellement le musée du folklore brugeois.

A great number of almshouses, modest maisonettes built either in rows or around a courtyard, still exist. Most of the guilds had them for the use of victims of work accidents or for their aged members. The Balstraat maisonettes, built around 1600, belonged to the Cordwainers guild and now form the Bruges folklore museum.

Es gibt noch eine stattliche Anzahl Armenhäuser in Brügge. Es sind entweder schlichte Reihenhäuschen oder sie sind um einen kleinen Hof herum gebaut. Die meisten Handwerkszünfte verfügten über derartige Häuser, in denen ihre behinderten oder in den Ruhestand getretenen Mitglieder ihren Lebensabend verbrachten. Die Häuser hier in der Balstraße wurden um 1600 gebaut und gehörten der Zunft der Schuhmacher. Vor geraumer Zeit ist hier das Museum für Volkskunde eingerichtet worden.

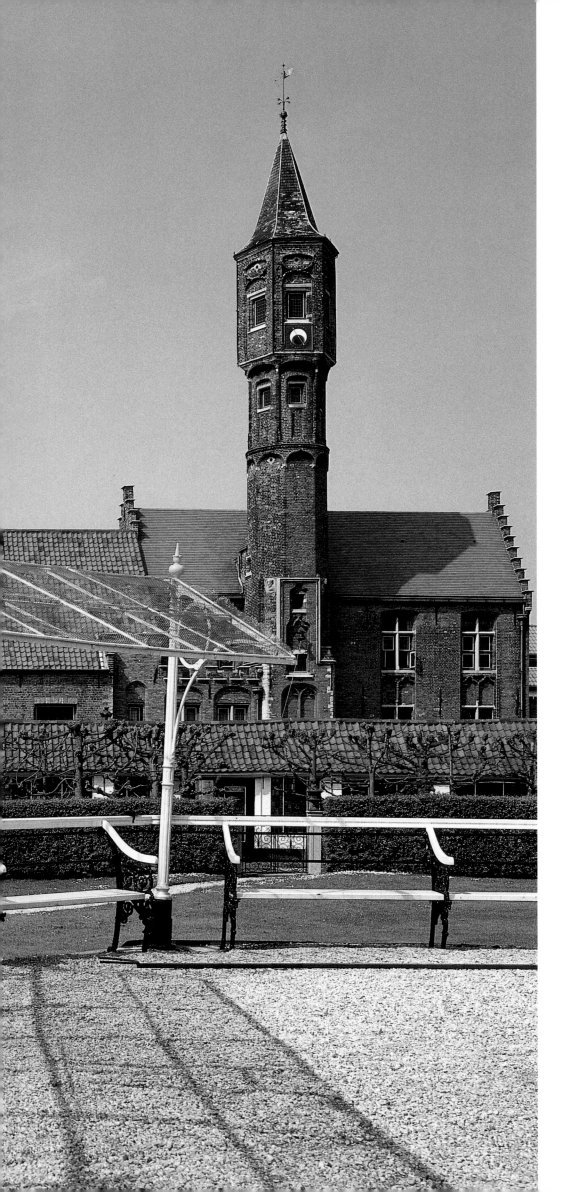

De boogschutters maakten deel uit van de lijfwacht van de graven van Vlaanderen. In 1573 betrok de St.-Sebastiaansgilde een enkele jaren tevoren gebouwd pand vlak bij de Kruisvest. Dit herenhuis was zoals toen gebruikelijk voorzien van een traptoren.

Het naar de gaai schieten raakte pas in de 17de eeuw in zwang. Te dien einde richtte de gilde in 1661 een staak op. De uit zijn rijk verjaagde Engelse koning Karel II en diens broer Hendrik, hertog van Gloucester, werden tijdens hun verblijf in Brugge lid van de handboogschuttersgilde.

(Volgende dubbele bladzijde)

In de banket- of feestzaal van de gilde (1664) worden de zilveren pijl die de hertog van Gloucester zijn gastheren ten geschenke aanbood, en de portretbuste van Karel II door Frans-Christoffel Dieusart bewaard.

Les archers faisaient office de gardes du corps du comte de Flandre. En 1573, la guilde de Saint-Sébastien se dota d'un local construit quelques années auparavant contre le rempart. A l'instar de la plupart des demeures seigneuriales, la maison de la guilde de Saint-Sébastien possédait une tour à escalier.

L'usage du tir en hauteur, pour atteindre le *papegai*, date du XVIIᵉ siècle. A cet effet, une perche fut érigée par la guilde en 1661. Le roi d'Angleterre Charles II et son frère le duc de Gloucester occupèrent leurs loisirs, durant leur exil, à tirer au but parmi les archers de Saint-Sébastien.

(Double page suivante)

Construite en 1664, la salle de réunion de la Guilde conserve la flèche en argent offerte par le duc de Gloucester, ainsi que le buste de Charles II par F.-Ch. Dieusart.

The archers were the bodyguards of the Count of Flanders. In 1573 the Guild of Saint Sebastian acquired premises built a few years earlier against a rampart. Unlike most buildings, the Guild house had a staircase tower.

The practice of elevated popinjay shooting dates from the 17th century and a perch was erected for this purpose in 1661 by the Guild. During their exile, King Charles II of England and his brother Henry, Duke of Gloucester whiled away the time by shooting at butts with the Archers of Saint Sebastian.

(Next double page)

The meeting room of the Guild, built in 1664, still has the silver arrow presented by the Duke of Gloucester and also a bust of Charles II by Dieusart.

Die Bogenschützen bildeten die Leibwache des Grafen von Flandern. 1573 erwarb die Schützenbruderschaft St. Sebastian ein einige Jahre vorher an die Stadtmauer gebautes Haus, dem wie so vielen herrschaftlichen Häusern ein Treppenturm angegliedert war.

Das Vogelschießen kam erst im 17. Jh. auf. Die dazu erforderliche hohe Stange wurde 1661 von der Zunft aufgestellt. Während ihres Exils fanden der englische König Karl II. und sein Bruder der Herzog von Gloucester, Zerstreuung auf den Schießständen der Schützenbruderschaft St. Sebastian.

(Folgende Doppelseite)

In der Festhalle (1664) des Zunfthauses wird der silberne Pfeil, den der Herzog der Zunft schenkte, aufbewahrt und steht eine Büste Karls II. von Ch. Dieusart.

Kruispoortbrug II

In tegenstelling tot de Ezelpoort is de Kruispoort van steen. Op 3 juli 1468 trok Margaretha van York, de jonge gemalin van Karel de Stoute, via deze poort de stad binnen. Ze droeg een kleed van wit fluweel en op haar golvend haar een kroon met schitterende, kostbare stenen. Zodra de palankijn de poort was gepasseerd, werd hij onmiddellijk en ondanks een hevige regenbui omringd "door allerhande groepsgewijs opgetelde musici die alles in het werk stelden om zich gehoor te verschaffen."

Contrairement à la porte des Baudets, la porte Sainte-Croix est bâtie en pierre. C'est par elle que Marguerite d'York entra à Bruges le 3 juillet 1468. La jeune épouse de Charles le Téméraire, en robe de velours blanc, portait une couronne sertie de pierres précieuses sur ses cheveux flottants. Aussitôt, autour de la litière, il y eut "toutes manières d'instruments par ordre, qui faisaient moult efforcement ouyr" malgré la pluie battante.

Unlike the Donkey gate, Holy Cross gate is built in stone. On July 3, 1468, Margaret of York entered the city thourgh it. The young wife of Charles the Bold wore a dress of white velvet and a crown set with precious stone on her flowing locks. Her litter was immediately surrounded by "all kinds of instruments which tried very hard to be heard" over the pouring rain.

Im Unterschied zum Eselstor ist das Kreuztor aus Stein. Durch dieses Tor hielten Karl der Kühne und Margaretha von York am 3. Juli 1586 ihren Einzug in die Stadt. Die junge Fürstin trug ein Kleid aus weißem Samt und über ihrem wogenden Haar glitzerten die Edelstein ihrer Krone. Trotz des niederprasselnden Regens umringten ordnungsmäßig aufgestellte Musiker ihre Sänfte und scheuten keine Mühe, um sich Gehör zu verschaffen.